Okakura Kakuzō

Cartea Ceaiului

Okakura Kakuzō

Cartea Ceaiului

traducere din limba engleză de IRINA HOLCA

NEMIRA

Descrierea CIP a Bibliotecii Naționale a României
KAKUZŌ, OKAKURA
    Cartea ceaiului / Okakura Kakuzō; trad.: Irina Holca
Bucureşti, Nemira & Co., 2008
    ISBN 978-973-143-236-6

I. Holca, Irina (trad.)

663.95

Ilustrații: Valeria MOLDOVAN
Redactor: Ana ANTONESCU
Concepție grafică: Dana MOROIU, Corneliu ALEXANDRESCU

Tiparul executat de Monitorul Oficial R.A.

ISBN 978-973-143-236-6

茶

iecare nouă ceașcă de ceai are propria individuali-
tate, e rezultatul unei armonii irepetabile între apă
și foc, întruchipează o tradiție unică, are o poveste
de spus, care e numai și numai a ei, și e menită să conțină
frumusețea pură.

PREFAȚĂ

Okakura Kakuzō (Tenshin) s-a născut în anul 1862, la Yokohama. La numai cinci ani de la nașterea sa, a avut loc Restaurația Meiji (1867), care a redeschis porțile Japoniei către lume, după o izolare cvasicompletă de două sute de ani. Meiji (1868–1912) a fost în primul rând perioada în care Japonia a pășit pe drumul modernizării, adoptând modelele vestice atât în economie și politică, cât și în artă, cultură și învățământ. Pe de altă parte, contactul cu Occidentul i-a stimulat pe japonezi să-și îndrepte atenția și asupra propriilor valori culturale; în această perioadă, de exemplu, a fost redescoperită literatura clasică și au fost puse bazele etnologiei naționale.

Kakuzō a studiat inițial Politică și Finanțe la Universitatea Imperială din Tokio, dar întâlnirea din 1879 cu Ernest Fenollosa i-a trezit interesul pentru arta și cultura veche japoneză și asiatică. După absolvirea facultății, a fost numit responsabil cu restaurarea și păstrarea vechilor temple shintō și budiste și cu promovarea educației pentru artă la Ministerul Japonez al Culturii. Între 1887 și 1888 a petrecut un an în Statele Unite ale Americii, ca trimis special al guvernului pe probleme de cultură și artă; la întoarcere, a fondat Școala de Arte din Tokio, al cărui decan a fost și la care a ținut cursul de istoria artei japoneze. Tot în această perioadă s-a implicat și în mișcarea de revigorare a picturii tradiționale, „Nihonga", care era în pericol de a fi dată uitării și înlocuită cu pictura în stil occidental.

În 1903 a scris, în engleză, *The Ideals of the East with Especial Reference to the Art of Japan*. În această primă carte, publicată la Londra, Kakuzō a deplâns înapoierea Asiei față de Occident, făcând în același timp și elogiul culturii japoneze pe care o considera cea mai avansată din Orient. Despre *The Ideals of the East* se poate spune că este expresia naționalismului japonez din perioada cuprinsă între războiul sino-japonez (1894–1895) și cel ruso-japonez (1904–1905).

În 1904, Kakuzō a răspuns invitației Muzeului din Boston de a deveni consultantul secției de artă sino-japoneză, iar în 1910 a fost numit curatorul colecției de artă asiatică a muzeului. Astfel, până la sfârșitul vieții, Kakuzō a continuat să călătorească între Japonia și Statele Unite, petrecându-și jumătate de an la Boston, iar pe cealaltă la locuința sa din prefectura Ibaraki.

La sfârșitul anului 1904, Kakuzō a publicat în America a doua sa carte, *The Awakening of Japan*, iar în 1906, *The Book of Tea (Cartea ceaiului)*. Această din urmă lucrare, scrisă în engleză și publicată la New York, prezintă, într-o formă ușor de înțeles pentru occidentali, istoria ceremoniei ceaiului, influențele ei asupra artei, dar și asupra stilului de viață asiatic, în general, și japonez în special, Kakuzō susținând că arta ceaiului, născută în China, a atins perfecțiunea abia după ce a ajuns pe tărâmurile nipone.

De-a lungul întregii sale vieți, Kakuzō a încercat să promoveze arta și gândirea japoneză și asiatică în Occident, văzând în schimburile culturale reciproce o cale de reconciliere a diferențelor dintre cele două lumi. Cu toate acestea, nu poate fi negat faptul că lucrările sale, inclusiv *Cartea ceaiului*, poartă amprenta, pe de o parte, a panasiatismului, iar pe de altă parte a naționalismului japonez al vremii, care le știrbește din obiectivitate. Acest neajuns este însă compensat de limbajul poetic folosit de Kakuzō, a cărui putere de convingere a făcut din *Cartea ceaiului* una dintre lucrările de referință pentru ceremonia ceaiului.

IRINA HOLCA

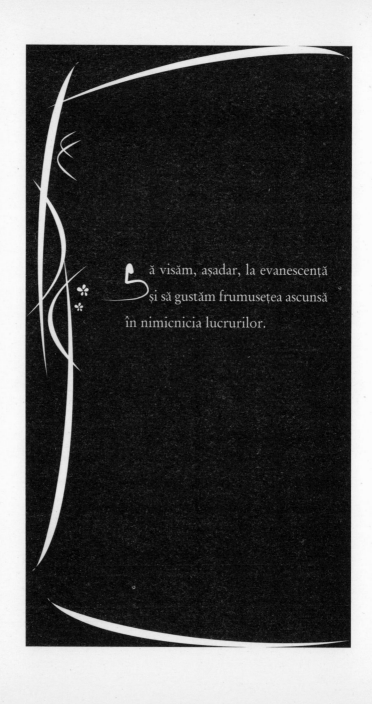

Să visăm, așadar, la evanescență și să gustăm frumusețea ascunsă în nimicnicia lucrurilor.

I

CUPA UMANITĂȚII

La început, ceaiul a fost medicament, însă cu timpul a devenit băutură reconfortantă. A pătruns pe tărâmul poeziei, ca una dintre distracțiile societății educate în China secolului al VIII-lea, iar în Japonia secolului al XV-lea a fost ridicat la rangul de religie a frumosului, sub numele de „calea ceaiului" – un cult bazat pe adorația frumuseții ascunse în sordidul cotidian. Calea ceaiului propovăduiește puritatea și armonia, miracolul bunătății reciproce, romantismul încrederii în ordinea socială. El constituie în esență o religie a imperfectului, pentru că încearcă să transpună în formă posibilă imposibilul vieții de zi cu zi.

Filosofia ceaiului nu este doar o sumă de concepte estetice, în accepția obișnuită a termenului, deoarece exprimă și ideile noastre etice și religioase despre natură și om. Este totodată igienă, pentru că vorbește despre binefacerile curățeniei; este economie, pentru că dovedește că putem găsi confort și în lucrurile simple, nu numai în cele complexe și scumpe; este de asemenea geometrie morală, în măsura în care definește proporția dintre om și univers; întrupează adevăratul spirit al democrației orientale, pentru că le permite tuturor adepților săi să fie aristocrați ai gustului.

Lunga perioadă în care Japonia a fost izolată de restul lumii a favorizat introspecția, care la rândul ei a dus la rafinarea filosofiei ceaiului. Casele noastre, obiceiurile, hainele și bucătăria japoneză, ceramica, pictura, chiar și literatura noastră, toate au fost profund influențate de calea ceaiului. Cei care vor să știe mai multe despre cultura japoneză nu pot în nici un caz trece cu vederea influența pe care a avut-o ceaiul asupra acesteia. Cultura ceaiului a pătruns atât în elegantele budoare ale nobililor, cât și în umilele case ale oamenilor de rând. Orice țăran știe să facă aranjamente florale, orice muncitor știe să aprecieze frumusețea apelor și a munților noștri. În limbajul cotidian, spunem despre cineva că „nu are pic de ceai în el" dacă nu-și dă seama de tragicomicul dramei personale; pe de altă parte, despre estetul care dă prea multă importanță emoțiilor emancipate și nu are ochi pentru dramele din imediata sa apropiere spunem că „are prea mult ceai în el".

Pentru un străin, calea ceaiului poate să pară mult zgomot pentru nimic. O furtună într-o ceașcă de ceai, cum s-ar spune. Totuși, dacă ne gândim cât de mică este cupa bucuriei umane, ce ușor poate fi ea umplută cu lacrimi sau, pe de altă parte, cum setea noastră de infinit o poate seca dintr-o înghițitură, dacă ne gândim la toate acestea, ne vom da seama că nu e nimic rău în a stârni furtuni într-o ceașcă de ceai. Oamenii au făcut lucruri mult mai rele de-a lungul istoriei. Câte sacrificii au fost făcute în numele lui Bachus! Și nu tot oamenii au fost cei care au glorificat imaginea lui Marte cel sângeros? De ce să nu ne lăsăm, măcar de data asta, purtați de valul parfumat și cald ce se revarsă din altarul Reginei Cameliilor? În gustul chihlimbarului lichid din cupele de porțelan alb-sidefiu cei inițiați vor regăsi ceva din stăpânirea de sine caracteristică lui Confucius, din picanteria lui Laotse sau poate chiar din parfumul eteric al lui Buddha Sakyamuni.

Cel care nu e conștient de propria micime nu va putea niciodată înțelege grandoarea celuilalt. Occidentalul de rând, care nu face nici un efort să-și depășească limitele, nu vede în ceremonia ceaiului decât încă una dintre miile de ciudățenii ale Orientului înapoiat și infantil. El s-a obișnuit să vadă în Japonia doar un tărâm barbar atât timp cât ea s-a consacrat artelor pașnice și a început s-o aprecieze ca fiind civilizată numai atunci când și-a îndreptat atenția asupra artelor războiului, cotropind fără milă Manciuria! Codul Samuraiului – arta de a muri, care-i face pe soldații noștri să îmbrățișeze autosacrificiul cu atâta patos – este comentat pe larg în ultima vreme în Vest, dar culturii ceaiului i-a fost acordată prea puțină atenție până acum, deși el constituie o parte integrantă a artei noastre de a trăi. Dacă a fi civilizat înseamnă să ieși victorios în nenumărate războaie sângeroase, mai bine să rămânem barbari, așteptând clipa în care arta și idealurile noastre se vor putea bucura de respectul cuvenit.

Când, oare, va începe Occidentul să înțeleagă, sau cel puțin să încerce să înțeleagă, Orientul? Suntem adesea îngroziți de poveștile fantasmagorice care au fost scornite despre noi, asiaticii. Se spune că ne-am hrăni numai cu parfum de lotus sau chiar cu șoareci și gândaci. Că ne-am deda fie unui fanatism impotent, fie, dimpotrivă, unei voluptăți fără seamăn. Spiritualitatea indiană a fost luată în râs ca pură ignoranță, sobrietatea chineză ca prostie curată, patriotismul japonez ca rezultat al fatalismului. Am auzit spunându-se chiar și că am fi insensibili la răni și durere, pentru că sistemul nostru nervos este alcătuit altfel!

De ce să nu vă distrați pe seama noastră? La urma urmei, și noi facem același lucru. Ce amuzant ar fi dacă ați ști ce am scris și inventat noi despre voi! În poveștile noastre am transfigurat farmecul locurilor îndepărtate prin filtrul omagiului subconștient al mirării, dar și prin cel al resentimentului împotriva noului și necunoscutului. V-am înzestrat cu virtuți prea rafinate, chiar și pentru a le face obiectul invidiei, și v-am acuzat de crime atât de neobișnuite, încât nici nu există legi care să le condamne!

Înţelepţii de altădată – probabil că ştiau ei ce ştiau – ne-au informat că aveţi cozi stufoase ascunse în pantaloni şi că vă delectaţi adesea cu tocăniţă de nou-născuţi. Ba chiar circula un zvon şi mai urât despre voi: cum că aţi fi cei mai nepractici oameni din univers, pentru că aveţi obiceiul să spuneţi lucruri pe care nu le faceţi niciodată.

În zilele noastre, puţini sunt aceia dintre noi care mai cred în astfel de poveşti. Comerţul a făcut ca limbile europene să fie vorbite în multe porturi asiatice. Tinerii noştri se grăbesc să se familiarizeze cu ştiinţele moderne la facultăţile din Occident. Nu suntem în stare încă să înţelegem întru totul cultura voastră, dar cel puţin ne dăm silinţa. Unii dintre compatrioţii mei au adoptat chiar prea multe dintre obiceiurile şi pretenţiile voastre, iluzionându-se probabil cu gândul că gulerele înalte şi jobenele de mătase echivalează cu înţelegerea deplină a culturii occidentale. Oricât de patetic şi nedemn ar fi comportamentul acesta, el demonstrează că suntem dispuşi să îmbrăţişăm valorile voastre, uneori chiar înjosindu-ne. Din păcate, Occidentul nu face acelaşi lucru. Misionarii au venit în Asia ca să aducă credinţa, nu să împrumute ceva de la noi. Toată informația pe care o dețineți voi despre cultura noastră se bazează pe câteva încercări firave de a traduce imensa literatură a Orientului sau, și mai rău, pe anecdotele fără cap și coadă ale câtorva călători în trecere prin Est. Foarte rar s-a întâmplat – de exemplu în cazul lui Lafcadio Hearn sau al autorului cărții despre „pânza vieții indiene"[1] – ca penița unui occidental să străpungă vălul misterului asiatic, iluminând tenebrele acestui tărâm necunoscut cu propriile simțiri și impresii.

Probabil că sinceritatea de care am dat dovadă până acum mă trădează ca fiind insuficient inițiat în cultul ceaiului. Aceasta, în spiritul politeții caracteristice, ne îndeamnă să spunem numai ceea ce trebuie, nici un cuvânt în plus. Dar mă tem că nu am de gând să fiu politicos. Prea mult rău a fost făcut deja din cauza neînțelegerilor dintre Lumea Veche și cea Nouă; nu trebuie, cred, să-mi cer scuze pentru că încerc să promovez înțelegerea reciprocă. Începutul secolului XX n-ar fi cunoscut atâtea războaie

---

[1] Referință la *The Web of Indian Life* (1904) de Margaret Elizabeth Noble (n. tr.).

înfiorătoare dacă Rusia ar fi binevoit să afle mai multe despre Japonia. Ignoranța amestecată cu dispreț cu care sunt tratate problemele Orientului poate avea consecințe catastrofale asupra umanității. Imperialismul european, care nu uită nici o clipă să arate cu degetul spre Pericolul Galben, nu-și dă seama că va veni ziua în care Asia va înțelege crudul adevăr ascuns în spatele Dezastrului Alb. E posibil să fim luați în râs fiindcă „avem prea mult ceai", dar oare noi chiar ne înșelăm atunci când vă suspectăm că „n-ați avea pic de ceai" în voi?

Mai bine să oprim totuși schimbul acesta de replici înțepătoare dintre continente; și dacă nu putem fi mai înțelepți prin câștigul unei jumătăți de emisferă, să încercăm măcar să fim mai toleranți. Culturile noastre s-au dezvoltat în direcții diferite, dar asta nu înseamnă că nu ne putem completa unii pe alții. Ați reușit să vă extindeți în cele patru colțuri ale lumii, dar v-ați pierdut în schimb liniștea sufletească, în timp ce noi am creat o armonie fragilă care se poate prăbuși la cel mai mic semn de agresiune. Indiferent dacă vă vine sau nu să credeți, în unele privințe Estul îi este superior Vestului!

În mod ciudat, ceaiul este ceea ce ne-a unit până acum. Calea ceaiului este singurul ceremonial asiatic care se bucură de respectul tuturor. Omul din rasa albă a strâmbat din nas la auzul credințelor noastre morale și religioase, dar a acceptat fără ezitare băutura de culoarea chihlimbarului. În zilele noastre, ceaiul de după-amiază joacă un rol foarte important în societatea occidentală. Sunetul delicat al ceștilor și farfurioarelor, foșnetul molatic al veșmintelor gazdei, catehismul zahărului și al laptelui, care se repetă la fel în fiecare zi, toate acestea ne arată că ceaiul se află la loc de cinste în Vest. Resemnarea filosofică în fața sorții, pe care musafirul o simte atunci când e servit cu decoctul suspect numit ceai, este dovada de necontestat că în acele clipe spiritul Orientului a triumfat.

Cea mai veche mențiune a ceaiului într-o scriere europeană se bazează pe spusele unui călător arab, după care, începând din anul 879, principalele surse de venit în Canton erau taxele pe comerțul cu sare și ceai. La rândul lui, Marco Polo menționează că în 1285 un ministru chinez de Finanțe a fost demis pentru că ar fi mărit fără motiv taxele pe ceai. Tot acum începe și epoca marilor descoperiri, când ochii europenilor se îndreaptă cu din ce în ce mai mult interes spre Extremul Orient. La sfârșitul secolului al XVI-lea, olandezii răspândesc vestea că în Asia ar exista un arbust din frunzele căruia chinezii prepară o băutură fără seamăn. Ceaiul este menționat și în scrierile călătorilor Giovanni Batista Ramusio (1559), L. Almeida (1576), Maffeno (1588) și Tareira (1610)[1].

În 1610, vapoarele Companiei olandeze a Indiilor de Est au adus pentru prima dată ceaiul în Europa. Din scrieri ulterioare aflăm că în Franța el s-a răspândit după 1636, iar în Rusia după 1638[2]. Ceaiul a fost întâmpinat în Anglia în 1650, ca „acea băutură chinezească nemaipomenită, ale cărei efecte binefăcătoare sunt recunoscute de toți doctorii mapamondului, pe care chinezii o numesc *Cha*, iar celelalte neamuri *Tay* sau *Tee*".

Ca toate lucrurile bune din lume, ceaiul n-a fost întotdeauna primit cu brațele deschise. Eretici ca Henry Saville (1678) au criticat obiceiul de a bea ceai

---

[1] Paul Kransel, *Disertații*, Berlin, 1902.

[2] Mercurius, *Politicus*.

pe care l-au numit „murdar". Jonas Hanway, în al său *Eseu despre ceai* (1756), spune că bărbații își pierd demnitatea și femeile frumusețea atunci când beau ceai. În plus, prețul ceaiului în perioada imediat următoare introducerii sale în Europa (cincisprezece-șaisprezece șilingi pe livră) l-a făcut inițial inaccesibil maselor și, în același timp, „un accesoriu nelipsit de la petrecerile și sindrofiile din cercurile înalte", „darul cel mai potrivit pentru prinți și nobili".

Totuși, în ciuda acestor neajunsuri, ceaiul s-a răspândit cu extremă rapiditate. În prima jumătate a secolului al XVIII-lea, cafenelele londoneze se transformaseră în ceainării unde literații vremii, precum Addison sau Steele, petreceau ore întregi în fața unei cești cu ceai. Nu după mult timp, ceaiul a devenit o necesitate zilnică – numai bună deci pentru a fi impozitată. Coloniile din Lumea Nouă au îndurat cu stoicism opresiunea colonizatorilor din Lumea Veche, dar numai până când taxele impuse pe comerțul cu ceai au împins răbdarea umană la limită. Când aceasta a fost depășită, mii de cutii cu ceai și-au găsit sfârșitul pe fundul oceanului în portul orașului Boston, americanii dovedindu-și astfel independența. Iată una dintre dovezile că ceaiul a jucat – și nu o singură dată – un rol extrem de important în istoria omenirii.

Gustul ceaiului are un farmec aparte, care-l face irezistibil și îndeamnă la idealizare. Umoriștii occidentali n-au întârziat să combine aroma glumelor lor cu cea a ceaiului, pentru că acesta din urmă nu are aroganța vinului, nici stângăcia cafelei care pare să fie prea conștientă de propria importanță și nici inocența copilăroasă a unei cești de cacao. În 1711, în ziarul *The Spectator* apărea scris: „Prin urmare, recomandarea noastră este ca toate familiile cumsecade să rezerve în fiecare dimineață o oră anume numai pentru degustarea ceaiului și a pâinii cu unt; pentru binele lor, le-am sugera de asemenea să aibă grijă ca acest ziar să le fie adus spre consultare în fiecare zi, ca parte a celor necesare savurării ceaiului." Samuel Johnson se autocaracterizează ca „un băutor nerușinat și înrăit de ceai, care vreme de douăzeci de ani și-a diluat toate mesele numai și numai cu infuzia acestei plante minunate; care și-a înveselit serile cu ceai, și-a luminat nopțile cu ceai și a întâmpinat diminețile tot cu ceai".

Charles Lamb, și el un mare amator de ceai, a scris că cea mai mare bucurie este să faci pe ascuns o faptă bună, care mai apoi să iasă la iveală doar din întâmplare. În spusele lui auzim ecoul adevăratei căi a ceaiului, care, după cum se știe, este arta de a ascunde frumusețea pentru plăcerea de a o descoperi mai târziu, de a sugera ceea ce nu îndrăznești să spui pe șleau. Este secretul nobil de a putea să faci haz de tine însuți, cu calm, dar și cu meticulozitate – umorul pur, zâmbetul filosofic. Astfel, toți adevărații umoriști pot fi considerați filosofi ai ceaiului: Thackeray, de exemplu, și, bineînțeles, Shakespeare. Poeții decadenți (dar când n-a fost lumea „decadentă"?) și protestele lor împotriva materialismului au reprezentat un mijloc de acces către calea ceaiului. În zilele noastre, Orientul și Occidentul deopotrivă își pot da întâlnire pentru a se consola reciproc în această sfioasă contemplare a Imperfectului care este ceremonia ceaiului.

Taoiștii ne povestesc că, la marele început al Ne-începutului, Spiritul și Materia s-au luptat pe viață și pe moarte. În cele din urmă, Împăratul Galben, Soarele, a triumfat asupra lui Shuhyung, demonul întunericului și al țărânei. Titanul în agonie a lovit cu capul bolta cerească, sfărâmând în mii de bucățele domul de jad albastru. Stelele și-au pierdut lăcașul, iar Luna a rătăcit fără rost în abisul pustiu al întunericului. Disperat, împăratul Galben a căutat de-a lungul și de-a latul Universului pe cineva în stare să repare cerul – și căutarea nu i-a fost zadarnică, pentru că din Marea de Vest s-a înălțat regina Niuka, cea cu coadă de dragon și coroană de coarne, strălucitoare în armura ei de foc. Niuka a topit curcubeul cu cinci culori în cazanul ei fermecat și a refăcut cerul chinezesc. Dar se mai spune și că Niuka a uitat să umple două mici goluri din firmament, dând astfel naștere dualismului dragostei: două suflete care se rostogolesc în Univers și nu-și găsesc liniștea până nu se întâlnesc pentru a completa lumea. Toți oamenii trebuie s-o ia mereu de la capăt, reconstruind din temelie propriul cer al speranței și păcii.

Lupta titanică pentru bogăție și putere a sfărâmat bolta lumii moderne. Oamenii rătăcesc în întunericul fără ieșire al egoismului și vulgarității. Prețul cunoașterii este o conștiință încărcată, iar bunăvoința este practicată numai de dragul utilității. Estul și Vestul, ca doi dragoni aruncați într-o mare agitată, se zbat în van să recapete comoara vieții. Avem nevoie de o nouă Niuka pentru a pune capăt devastării din lume; suntem în așteptarea avatarului salvator.

Dar până atunci să luăm mai bine o înghițitură de ceai. Razele soarelui de după-amiază străpung frunzele de bambus, izvoarele susură încântător, foșnetul pinilor se aude și în apa ce clocotește în ceainicul nostru. Să visăm, așadar, la evanescență și să gustăm frumusețea ascunsă în nimicnicia lucrurilor.

Golul este atotputernic, pentru că poate conține orice. Numai în gol mișcarea este posibilă.

2

ȘCOLILE DE CEAI

Ceaiul este o operă de artă și are nevoie de un maestru care să dea viață calităților sale cele mai nobile. Există ceai bun și ceai mai puțin bun, așa cum există picturi reușite și picturi mai puțin reușite – și cele din urmă par a fi mai numeroase. Nu există o rețetă unică pentru a face ceaiul perfect, așa cum nu există reguli dinainte stabilite pentru a da naștere unui Tiziano sau unui Sesson. Fiecare nouă ceașcă de ceai are propria individualitate, e rezultatul unei armonii irepetabile între apă și foc, întruchipează o tradiție unică, are o poveste de spus, care e numai și numai a ei, și e menită să conțină frumusețea pură.

Cât de mult pierdem noi din cauză că societatea ignoră această regulă de bază a artei și a vieții! Lichilai, un poet al perioadei Sung, zicea că pe lume sunt trei lucruri cu adevărat deplorabile: coruperea tinerilor prin falsă educație, înjosirea picturilor fine prin admirație vulgară și risipa de ceai de bună calitate atunci când este preparat de o persoană nepricepută.

Ca și arta, ceaiul a trecut prin diverse perioade și a dat naștere la diverse școli. Evoluția sa poate fi împărțită, în mare, în trei etape principale: ceaiul fiert, ceaiul bătut spumă și ceaiul infuzie. Ceaiul modern aparține acestei ultime școli. Metodele diferite de a aprecia ceaiul reflectă spiritul perioadei în care ele au ajuns la apogeul popularității, pentru că modul nostru de viață este și un mod de a ne exprima, iar acțiunile noastre involuntare adesea ne trădează gândurile cele mai ascunse. Confucius a zis: „Omul nu poate ascunde." Probabil ne arătăm așa de des adevărata față în lucrurile mărunte pe care le facem pentru că avem atât de puțină măreție de ascuns. Micile incidente ale rutinei zilnice reflectă idealurile și tradițiile noastre la fel de bine ca poezia sau filosofia. Așa cum preferința pentru diverse soiuri de vin vorbește despre idiosincraziile diverselor perioade și nații ale Europei, la fel înclinația către un anumit ideal al preparării ceaiului reflectă diferitele schimbări ce au avut loc de-a lungul timpului în cultura orientală. Ceaiul obținut prin fierberea turtelor de ceai, cel obținut prin amestecarea pudrei de ceai cu apă fierbinte sau ceaiul rezultat din infuzia de frunze mărunțite sunt fiecare expresii ale felului de a trăi și a simți caracteristic perioadelor Tang, Sung și Ming. Dacă ar fi să împrumutăm terminologia des întrebuințată în clasificarea artelor frumoase, le-am putea numi clasicismul, romantismul și respectiv naturalismul ceaiului.

Planta de ceai, originară din sudul Chinei, le era cunoscută botaniștilor și doctorilor chinezi încă din vechime. În operele clasicilor apare adesea sub numele de *tou*, *tseh*, *chung*, *kha* sau *ming*, spunându-se despre ea că are puterea de a lua oboseala cu mâna și de a reda lumina ochilor, că este o adevărată bucurie pentru suflet și un întăritor pentru voință. Ceaiul nu era administrat numai intern, ca băutură, ci adesea și extern, sub formă de pastă, pentru alinarea durerilor reumatice. Taoiștii susțineau că ar fi un ingredient indispensabil pentru elixirul nemuririi, iar budiștii îl foloseau ca să țină somnul departe în timpul orelor lungi de meditație.

În secolele al IV-lea și al V-lea, ceaiul a devenit băutura preferată a locuitorilor din valea fluviului Yangtse-Kiang. Tot în această perioadă a luat naștere și ideograma pentru ceai, *cha*, ca o corupere a ideogramei clasice *tou*. De la poeții dinastiilor din Sud ne-au rămas câteva fragmente în care este preamărită „spuma jadului lichid". Se pare că împărații ofereau ceai miniștrilor de seamă, ca răsplată pentru serviciile aduse. Cu toate acestea, modul în care ceaiul era preparat și băut în această perioadă era extrem de primitiv. Frunzele erau fierte în vase sub presiune, zdrobite în pive și apoi transformate într-un fel de turtă, care era fiartă împreună cu orez, ghimbir, sare, coajă de portocală, mirodenii, lapte și uneori chiar și cu ceapă! Acest obicei se mai păstrează și în zilele noastre la tibetani și la unele triburi mongole, care fac un sirop ciudat din toate aceste ingrediente. Și faptul că rușii, care au învățat să prepare ceai în hanurile negustorilor chinezi, folosesc coji de lămâie este tot o urmă a obiceiului din vechime.

Dar a fost nevoie de geniul dinastiei Tang pentru a emancipa ceaiul, deschizându-i calea către forma ideală la care va ajunge în final. Luwuh, care a trăit la mijlocul secolului al VIII-lea – o perioadă în care taoismul, budismul și confucianismul erau în căutarea unei căi de a înfăptui unificarea –, este primul adevărat apostol al ceaiului. Simbolismul panteistic al epocii punea accentul pe legătura intrinsecă dintre universal și particular, iar poetul din Luwuh a văzut în ceremonia ceaiului armonia și ordinea care stăpânesc lumea în totalitatea ei. În binecunoscuta sa operă, *Chaking (Biblia ceaiului)*, el a formulat regulile de bază ale artei ceaiului și de atunci a fost adorat secole la rând ca zeu tutelar al negustorilor chinezi de ceai.

Chaking are trei volume, alcătuite fiecare din câte zece capitole. În primul capitol, Luwuh vorbește despre planta de ceai, în al doilea despre uneltele necesare pentru recoltare, în al treilea despre selectarea frunzelor. După spusele lui, frunzele de cea mai bună calitate trebuie să aibă „pliuri cum sunt cele de pe bocancul de piele al călărețului tătar, să fie curbate precum gușa unui bivol în putere, trebuie să se desfacă în apă cu delicatețea aburului care se ridică dintre dealuri, să strălucească precum un lac mângâiat de zefir și să fie umede și moi ca pământul după ploaie".

Capitolul al patrulea este dedicat enumerării celor douăzeci și patru de ustensile nelipsite de la prepararea ceaiului, începând cu mica sobă portabilă cu trei picioare și încheindu-se cu dulăpiorul de bambus în care sunt păstrate toate acestea. În descriere putem observa predilecția lui Luwuh pentru simbolismul taoist. Este de asemenea interesant de urmărit și felul în care arta ceaiului a influențat ceramica chineză. Bine-cunoscutul porțelan chinezesc a luat naștere ca urmare a încercării artiștilor ceramiști chinezi de a pune în valoare verdele de jad al ceaiului; ca o concretizare a acestui efort, în timpul dinastiei Tang au apărut porțelanul albăstrui din Sud și cel alb din Nord. Luwuh prefera, se pare, porțelanul albastru, pentru că ar accentua verdele ceaiului, în timp ce porțelanul alb i-ar da o nuanță neplăcută de roz. Dar culoarea se datora în mare parte și faptului că în acea perioadă se folosea încă ceaiul în formă de turtă. În epocile următoare, de exemplu în timpul dinastiei Sung, când ceaiul-pudră a devenit preferatul maeștrilor, culoarea vaselor din care era băut s-a schimbat în albastru-închis sau maro; iar în perioada Ming infuzia de frunze de ceai era băută cu predilecție din cupe fine de porțelan alb.

În al cincilea capitol, Luwuh expune pe larg metodele de preparare a ceaiului, eliminând toate ingredientele în afară de sare. El insistă și asupra mult disputatei probleme a alegerii apei și a fierberii ei. După Luwuh, cea mai bună apă e cea din izvorul de munte, următoarea e apa de râu, iar a treia, apa de fântână. Despre fierbere, el spune că ar exista trei etape: prima, când bule mici de aer ca ochii de pește se ridică la suprafață; cea de-a doua, când bulele sunt ca niște mărgele de cristal rostogolindu-se într-o fântână arteziană; iar a treia, atunci când bulele încep să se agite sălbatic în ceainic. Tot el spune că turta de ceai trebuie ținută deasupra focului până devine moale ca mâna unui bebeluș, și apoi mărunțită, dar numai între foi de hârtie fină. Sarea se adaugă în timpul primei faze a fierberii, ceaiul în a doua. În cea de-a treia etapă se adaugă puțină apă rece, pentru a sedimenta ceaiul și a „reda apei tinerețea". La sfârșit, nectarul minunat se toarnă în cupe pentru a fi băut –

astfel, minusculele frunze vor pluti în lichidul fără seamăn precum norii pe cerul senin sau precum nuferii pe un lac de smarald. Despre ceaiul preparat după rețeta lui Luwuh, Lotung, un poet al dinastiei Tang, a scris: „Prima ceașcă de ceai îmi umezește buzele și gâtul, a doua îmi alină singurătatea, a treia mă răscolește pe dinăuntru, dar nu găsește în adâncurile sufletului meu decât câteva mii de ideograme fără rost și legătură. A patra face ca tot amarul vieții să-mi iasă prin pori, la a cincea sunt purificat. A șasea ceașcă îmi deschide calea către tărâmul nemuritorilor, iar a șaptea – o, dar nu pot bea mai mult! Deja nu mai simt decât vântul răcoros umflându-mi veșmintele. Unde este Horaisan[1], să mă las purtat de boarea aceasta până într-acolo?“

Următoarele capitole din *Chaking* vorbesc despre vulgaritatea metodelor obișnuite de a bea ceai, prezintă pe scurt câțiva băutori iluștri de ceai de-a lungul istoriei, plantațiile faimoase din China, posibilele variații ale ceremoniei ceaiului și ilustrații ale ustensilelor folosite. Din nefericire, ultimul capitol s-a pierdut.

---

[1] Paradisul chinezesc.

Apariția *Bibliei ceaiului* a creat cu siguranță destul de multă senzație la vremea respectivă. Luwuh era prieten cu împăratul Taisung (763–779) și faima lui a atras mulți discipoli. Unii dintre marii amatori de ceai ai timpului se zice că erau în stare să deosebească ceaiul preparat de Luwuh de cel făcut de discipolii lui, în timp ce numele unui mandarin a rămas în istorie tocmai pentru că n-a fost în stare să aprecieze ceaiul marelui maestru.

În timpul dinastiei Sung, ceaiul bătut spumă a devenit la modă, dând naștere celei de-a doua școli de preparare a ceaiului. Frunzele erau pisate mărunt într-un mojar din piatră, pudra astfel obținută fiind amestecată cu apă fierbinte și bătută până făcea spumă cu un tel din bambus. Noul procedeu de preparare a impus modificarea ustensilelor folosite pe vremea lui Luwuh, dar și a modului de selectare a frunzelor. La sare s-a renunțat definitiv.

Entuziasmul față de ceai al oamenilor din perioada Sung era fără margini. Persoanele rafinate se întreceau între ele pentru a descoperi noi sortimente și se organizau cu regularitate chiar și turnee în care se decidea cine era cel mai bun. Împăratul Kiasung (1101–1124), care a avut o fire mult prea artistică pentru a fi un bun monarh, a cheltuit sume imense ca să obțină diverse specii rare de ceai. A scris și un tratat despre cele douăzeci și patru de feluri de ceai, în care „ceaiul alb" era apreciat ca fiind cel mai rar și mai fin dintre toate.

Idealul ceaiului în perioada Sung diferă fundamental de cel din perioada Tang, așa cum diferă și modul de a percepe lumea în timpul celor două dinastii. În epoca Sung, oamenii încercau să actualizeze ceea ce predecesorii lor încercaseră să simbolizeze. Pentru neoconfucianiști, legea cosmică nu se reflecta în lumea fenomenală, ci, dimpotrivă, lumea fenomenală reprezenta legea cosmică în sine. Eternitatea dura numai o clipă, iar Nirvana se afla întotdeauna la doi pași. Baza întregii lor filosofii se regăsea în concepția taoistă care susținea că nemurirea se află în eterna schimbare. Procesul, și nu rezultatul, era ceea ce conta. Perfectarea, și nu perfecțiunea, era vitală. Grație acestei gândiri, omul a ajuns să stea încă o dată față în față cu natura, și noi sensuri s-au infiltrat în viață și artă. Ceaiul nu mai era un mod poetic de a petrece vremea, ci una dintre metodele de autorealizare. Wangyucheng a spus despre ceai că „îi inundă sufletul precum o vorbă sinceră" și că „amărăciunea lui subtilă îi aduce aminte de gustul unui sfat bun". Sotumpa a scris că puritatea perfectă a ceaiului are aceeași putere ca omul virtuos care se opune depravării. Dintre budiști, adepții credinței zen din Sud, care își însușiseră o mare parte din doctrinele taoiste, au formulat un ritual complex al ceaiului, în care călugării se adunau în fața imaginii lui Bodhidharma[1] și beau cu toții ceai din aceeași cupă, cu profunda reverență datorată unui sacrament. Ceremonia ceaiului, așa cum se regăsește ea în Japonia secolului al XV-lea, își are originile în ritualul zen.

Din nefericire, în secolul al XIII-lea expansiunea violentă a triburilor mongole, care a avut ca rezultat cucerirea și supunerea Chinei de către împărații barbari ai dinastiei Yuen, a dus la distrugerea tuturor realizărilor culturii Sung. Dinastia locală Ming a încercat să preia conducerea Chinei în secolul al XV-lea, dar s-a confruntat cu numeroase probleme interne,

---

[1] Călugărul budist care a adus zenul în China, în secolul al V-lea.

și în veacul al XVII-lea China a căzut din nou sub dominație străină, de data aceasta, cea a manciurienilor. Obiceiurile s-au schimbat, nerămânând nici urmă din splendoarea culturii de altădată. Ceaiul-pudră a fost dat uitării cu atâta repeziciune, încât un comentator din perioada Ming nu mai reușește nici măcar să-și aducă aminte ce formă avea telul de bambus folosit de maeștrii Sung. În această epocă, ceaiul este preparat punând la infuzat frunze în apă fierbinte. Cum Occidentul află de existența ceaiului abia către sfârșitul perioadei Ming, celelalte metode de preparare, anterioare secolului al XVII-lea, îi sunt necunoscute.

În timpul dinastiei Ming ceaiul încetează să mai fie un ideal, fiind considerat pur și simplu o băutură delicioasă. Chinezul născut în aceste vremuri de restriște pare să fi dat uitării dorința de a căuta sensul vieții. A devenit modern, cu alte cuvinte îmbătrânit înainte de vreme și mult prea realist. Și-a pierdut încrederea sublimă în iluzie, acea putere miraculoasă prin care poeții din vechime reușeau să rămână veșnic tineri și în putere. Este eclectic, acceptând cu deferență toate tradițiile mapamondului. Se joacă cu natura, dar nu încearcă nici s-o cucerească, nici s-o venereze. Infuzia lui de frunze de ceai are adeseori o aromă divină, dar nu mai conține de mult stropul de romantism pe care îl găseam în ceremonialele dinastiilor Tang și Sung.

Japonia, care a urmat îndeaproape civilizația chineză, a cunoscut ceaiul în toate cele trei etape ale dezvoltării sale. Din vechile scrieri istorice aflăm că, în anul 729, împăratul Shōmu i-a tratat cu ceai pe cei o sută de călugări care l-au vizitat la palatul său din Nara. Frunzele fuseseră probabil aduse din China de către trimișii diplomatici japonezi și pregătite în stilul dinastiei Tang. În anul 801, călugărul Saichō a adus din China semințe de ceai și le-a plantat în Eizan. În secolele care au urmat, aflăm din anale, grădinile de ceai s-au răspândit cu repeziciune, la fel ca și obiceiul aristocraților și al călugărilor de a se delecta cu băutura chinezească. Ceaiul pregătit în stil Sung a fost adus în Japonia de către Eisaizenji, în anul 1191, odată cu învățăturile budismului zen din Sud. Semințele au fost plantate în trei locuri diferite, dintre care Uji, în Kyōto, are și azi renumele de a produce cel mai bun ceai din lume. Budismul zen s-a răspândit cu rapiditate și odată cu el și ritualul ceaiului, și idealurile estetice ale dinastiei Sung. În secolul al XV-lea, sub conducerea shōgunului Ashikaga Yoshimasa, ceremonia ceaiului a devenit o artă seculară de sine stătătoare.

Obiceiul de a face o infuzie din frunzele de ceai este relativ nou în Japonia, fiind cunoscut numai din a doua jumătate a secolului al XVII-lea. El a înlocuit ceaiul-pudră în consumul cotidian, dar acesta din urmă și-a păstrat neștirbit renumele de ceai al ceaiurilor.

În Japonia ceremonia ceaiului reprezintă desăvârșirea idealului artistic. Faptul că Japonia a reușit să țină piept invaziilor mongole din 1281 a făcut posibilă perpetuarea pe teritoriul ei a culturii Sung, care în China a fost dată uitării din cauza cotropirilor nomade. În țara noastră, ceaiul a devenit mai mult decât un mod ideal de a servi o băutură; el este astăzi considerat o religie a artei de a trăi. Cu timpul, ceaiul s-a transformat într-un pretext pentru a venera puritatea și rafinamentul, un ritual sacru în care gazda și oaspetele împart pentru o clipă trecătoare atmosfera de fericire pur lumească. Camera specială dedicată ceremoniei ceaiului este pentru mulți călători prin deșertul vieții de zi cu zi o oază unde se pot întâlni pentru a se răcori cu apă din izvorul comun al artei. Ceremonia este o dramă improvizată ai cărei protagoniști sunt ceaiul, florile și picturile. Nici o culoare de prisos, care să strice tonul camerei; nici un sunet în plus, care să tulbure ritmul lucrurilor; nici un gest care să distrugă armonia, nici un cuvânt care să dezechilibreze unitatea scenei; toate mișcările trebuie executate simplu și cu naturalețe – acestea sunt scopurile ceremoniei ceaiului și, oricât de ciudat ar părea, ele sunt adesea atinse. O filosofie subtilă stă la baza tuturor acestor reguli – calea ceaiului este, de fapt, taoism sub acoperire.

3

TAOISMUL ŞI BUDISMUL ZEN

Legătura dintre ceai şi zen este deja binecunoscută. Am scris în capitolul precedent că ceremonia ceaiului a luat naştere în prelungirea unui ritual zen. Numele lui Laotse, fondatorul taoismului, este de asemenea asociat cu istoria ceaiului. În manualele şcolare chinezeşti, la capitolul despre originea şi transmiterea tradiţiilor, se spune că obiceiul de a oferi ceai unui oaspete a început cu Kwanyin[1], faimosul discipol al lui

---

[1] Kwanyin sau Yin Hsi, paznicul unei trecători aflate la graniţa vestică a statului. Se spune că el l-a rugat pe Laotse să aştearnă pe hârtie celebra sa carte *Tao-Te-King.*

Laotse, care i-a oferit „bătrânului filosof" o ceaşcă cu licoare aurie la porţile trecătoarei Hangu. Nu vom discuta aici autenticitatea acestor poveşti, deşi vom recunoaşte că sunt valoroase ca dovezi istorice că taoiştii foloseau ceaiul din vechime. Ne interesează în mod special taoismul şi budismul zen deoarece ideile lor despre viaţă şi artă vor fi întruchipate ulterior şi de principiile ceremoniei ceaiului.

Este regretabil că, deşi s-au făcut câteva încercări demne de respectul nostru, nu există încă o lucrare care să prezinte cu acurateţe doctrinele taoiste şi zen într-o limbă occidentală[1].

Traducerea este întotdeauna şi o trădare şi, după cum observă un scriitor din perioada Ming, nu poate să fie decât, în cel mai bun caz, reversul brocartului – toate firele sunt acolo, dar nu şi culorile sau modelul. Dar, la urma urmei, există oare o doctrină care să fie uşor de explicat? Înţelepţii timpurilor demult apuse au evitat mereu să-şi expună ideile în formă sistematică.

---

[1] Am dori să atragem atenţia asupra admirabilei traduceri a lucrării *Tao-Te-King* de Laotse, aparţinând lui Paul Carus, The Open Court Publishing Company, Chicago, 1898.

Vorbeau în paradoxuri, pentru că le era teamă ca nu cumva să spună jumătăți de adevăr. Au început prin a vorbi ca niște netoți și au sfârșit prin a-și transforma adepții în înțelepți. Laotse însuși, cu un simț al umorului neobișnuit, zicea: „Când oamenii de o inteligență inferioară aud de Tao, râd în hohote. Tao n-ar fi Tao dacă nu s-ar face haz de el."

Literal Tao înseamnă „cărare". A fost tradus în nenumărate feluri: „mod" „cale", „absolut", „lege", „natură", „rațiune supremă". Nici una dintre aceste variante nu este incorectă, deoarece taoiștii folosesc termenul cu diverse sensuri, în funcție de context. Chiar Laotse spune: „Există un lucru care le conține pe toate celelalte, care a luat ființă înainte de nașterea Cerului și a Pământului. Chintesență a liniștii și a solitudinii! Este pe vecie singur și mereu neschimbat. Se rotește continuu în jurul propriei axe și este originea Universului. Nu-i știu numele, așa că l-am numit «calea». Uneori, împotriva voinței mele, îl numesc și «infinitul», deoarece infinitul este totuna cu tranzienta, tranzienta este începutul disparției, iar disparția este un alt nume al revenirii." Tao este mai degrabă „trecerea" decât „drumul". Este spiritul

schimbării cosmice – creşterea fără sfârşit, care re-
vine mereu asupra ei înşişi pentru a da naştere unor
noi forme. Este dragonul încolăcit, simbol atât de
drag al taoiştilor. Apare şi dispare la fel ca norii.
Poate fi descris ca „marea trecere". În mod subiectiv,
e ceea ce se numeşte „spiritul Universului". Puterea
lui absolută stă în felul în care dă valoare relativului.

Să nu uităm că taoismul, asemenea urmaşului său
de drept, budismul zen, reprezintă înclinaţia spre in-
dividualism a Chinei de Sud, în timp ce confucianis-
mul este expresia comunismului specific Chinei de
Nord. China întreagă are aproape aceeaşi suprafaţă
ca Europa şi particularităţile ei culturale regionale
sunt determinate de cursurile celor două fluvii care
o străbat, Yangtse-Kiang şi Hoang-Ho, care, dacă e să
facem o comparaţie cu Europa, ar corespunde Mării
Mediterane şi respectiv Mării Baltice. Până în zilele
noastre, în pofida secolelor de unificare, Nordul
diferă de Sud tot atât cât un latin diferă de fratele său
teuton. În trecut, când era mult mai dificil ca aceste
două jumătăţi să comunice între ele, mai ales în tim-
pul feudalismului, se spune că diferenţa era şi mai
pronunţată. Arta şi poezia Sudului s-au născut ca

rezultat al unui mediu cu totul și cu totul deosebit de cel al Nordului. La Laotse și discipolii săi, sau la Kutsugen, cunoscutul înaintaș al poeților naturii de pe valea fluviului Yangtse-Kiang, găsim un idealism care contrastează puternic cu noțiunile prozaice de etică ale contemporanilor lor din Nord. Laotse a trăit cu cinci secole înaintea începutului erei creștine.

Germenele speculației taoiste poate fi descoperit în China cu mult înainte de nașterea lui Laotse, supranumit Urecheatul. Vechile anale chinezești, și în special *Cartea schimbărilor*, anunțau deja gândirea taoistă. Dar respectul față de legi și obiceiuri, specific perioadei clasice din istoria civilizației chineze, care a culminat cu venirea la putere a dinastiei Chow în secolul al XVI-lea î.Hr., a ținut multă vreme sub control impulsurile individualiste ale gânditorilor, astfel încât ele au putut să se bucure de libertate și să înflorească abia după stingerea dinastiei Chow și apariția a numeroase mici regate independente. Laotse și Soshi (Chuang-tse) s-au născut în Sud, fiind exponenți de seamă ai noii școli. Pe de altă parte, Confucius și discipolii săi au încercat să păstreze pe cât posibil tradițiile ancestrale.

Taoismul nu poate fi înțeles în lipsa unor noțiuni primare de confucianism și viceversa.

Am spus că absolutul taoiștilor stă în lucrurile relative. În domeniul eticii, taoiștii au protestat vehement împotriva legilor și codurilor morale ale societății, deoarece pentru ei binele și răul nu erau decât noțiuni relative. A defini înseamnă întotdeauna a limita: ce e fix și neschimbat nu se poate dezvolta. Kutsugen a spus: „Înțelepții vor mișca lumea." Standardele noastre de moralitate au apărut ca rezultat al nevoilor societății, dar oare societatea nu se schimbă? Respectarea tradițiilor comune înseamnă nici mai mult, nici mai puțin decât jertfirea unei părți a individualității pentru binele statului. Educația, ca să susțină această iluzie, încurajează un soi de ignoranță. Oamenii nu sunt învățați să fie virtuoși, ci să se comporte cum trebuie. Suntem răi pentru că suntem prea conștienți de propriul sine. Nu iertăm niciodată pentru că știm că și noi greșim. Ne facem probleme de conștiință tocmai pentru că ne e frică să spunem adevărul în fața altora; ne refugiem în mândrie pentru că ne temem să recunoaștem adevărul în fața propriei conștiințe. Cum ar putea cineva să ia lumea în serios, când lumea în sine este un lucru atât de ridi-col?! Spiritul schimbului în natură domnește peste tot. Onoarea și castitatea! Priviți-l pe negustorul afabil cum vinde la bucată „adevărul" și „binele". Poți cumpăra până și o religie, chiar dacă ceea ce primești de fapt nu este decât un model îndoielnic de moralitate sanctificată de ocazie cu flori și muzică. Luați-i Bisericii accesoriile și ce mai rămâne? Și totuși, negoțul acesta prosperă, pentru că prețurile sunt absurd de mici: o rugăciune pentru un bilet spre rai, o diplomă pentru onoare civică. Ascunde-ți talentele cât poți de repede, pentru că altfel, dacă lumea va afla la câte te pricepi, în doi timpi și trei mișcări vei fi vândut celui care licitează mai mult. De ce le place oamenilor așa de mult să-și facă publicitate? Să fie oare un instinct rămas din zilele sclavagismului?

Vigoarea unei idei constă atât în puterea ei de a zgudui modul de gândire contemporan, cât și în capacitatea de a influența epocile următoare. Taoismul a fost filosofia dominantă în timpul dinastiei Shin, acea perioadă în care China a fost un stat centralizat și de la care derivă și numele actual al țării. Dacă am avea acest răgaz, ar fi interesant să urmărim de-a lungul istoriei şi felul în care s-a transmis taoismul la toţi gânditorii vremii, la matematicieni şi cronicari, mistici şi alchimişti, sau mai târziu la poeţii naturii de pe valea fluviului Yangtse-Kiang. Tot aici ar trebui să vorbim despre influenţa lui asupra acelor gânditori care se pierdeau în speculaţii despre realitate, întrebându-se dacă un cal alb e real pentru că e alb sau pentru că e solid. Să nu-i uităm nici pe conversaţioniştii celor Şase Dinastii care, ca şi budiştii zen, se delectau cu discuţii nesfârşite despre „puritate" şi „absolut". În ultimul rând, dar nu şi cel de pe urmă, trebuie să ne înclinăm în faţa taoismului pentru contribuţia avută la formarea caracterului chinez, căruia i-a adăugat capacitatea „caldă ca jadul" de a aprecia discreţia şi rafinamentul.

Istoria Chinei abundă în episoade în care se povesteşte cum adepţii taoismului, fie ei prinţi sau pustnici, au urmat aceleaşi învăţături, ajungând fiecare la rezultate care mai de care mai diferite şi mai interesante. Aceste poveşti sunt şi morale, şi comice în acelaşi timp, bogate în anecdote, alegorii şi aforisme. Ce interesant ar fi să stai de vorbă cu acel împărat care n-a murit niciodată fiindcă nici n-a trăit vreodată!

Ai putea să te lași purtat de vânt, ca Lietse, și să-ți dai seama pe drum că e mult prea liniște, dar asta fiindcă tu însuți ai devenit vântul. Sau ai putea trăi în straturile de mijloc ale cerului, împreună cu Bătrânul din Hoang-Ho, care locuia între Cer și Pământ, pentru că nu era supus nici primului, nici celui din urmă. Până și grotesca parodie care este taoismul din China zilelor noastre ne mai poate oferi o bogăție de imagini de negăsit la nici un alt cult din lume.

Dar principala contribuție a taoismului la cultura asiatică este cea din domeniul esteticii. Istoricii chinezi au numit taoismul „arta de a trăi în lumea aceasta", deoarece principala lui preocupare este prezentul – noi înșine. În noi divinitatea își dă întâlnire cu natura, ziua de ieri își ia la revedere de la cea de mâine. Prezentul este infinitul în mișcare, domeniul Relativului. Relativitatea este în căutarea Adaptării, iar Adaptarea înseamnă Artă. Arta de a trăi constă în continua adaptare la mediu. Taoismul acceptă lumescul așa cum este el și, spre deosebire de budism sau confucianism, încearcă să găsească frumusețe în lumea aceasta plină de griji și suferințe. Alegoria

Sung despre cei trei degustători de oțet explică extrem de clar diferența dintre cele trei doctrine: odată demult, Buddha, Confucius și Laotse s-au întâlnit în fața unui urcior cu oțet – simbolul vieții – și fiecare dintre ei și-a înmuiat degetul pentru a gusta licoarea. Confucius cel practic a zis că e acru, lui Buddha i s-a părut amar, dar Laotse l-a declarat dulce.

Taoiștii credeau și că, dacă am respecta cu toții unitatea de timp, spațiu și temă, comedia vieții ar putea fi mult mai interesantă. Secretul succesului în această lume este capacitatea de a păstra proporțiile, de a face loc altora fără a-ți pierde propria poziție. Trebuie să cunoaștem toată piesa pentru a putea să ne jucăm cum se cuvine propriul rol; întregul nu trebuie să fie copleșit niciodată de individual. Laotse a ilustrat această idee folosind metafora sa preferată, cea a golului. El susține că adevărata esență se găsește în gol. Realitatea unei camere constă în spațiul neocupat dintre pereți și tavan, nu în pereții și tavanul camerei în sine. Utilitatea unui urcior nu constă în forma lui sau în materialul din care este făcut, ci în spațiul gol din interiorul lui, care poate fi umplut cu apă. Golul este atotputernic, pentru că poate conține orice. Numai în gol mișcarea este posibilă. Cel care s-ar putea transforma într-un gol în care ceilalți să intre liber ar fi stăpân pe orice situație, pentru că întregul poate oricând să domine partea.

Aceste idei taoiste au avut o influență considerabilă asupra teoriilor noastre despre acțiune, de exemplu cele despre lupta corp la corp sau scrimă. Jū-Jutsu, arta japoneză a autoapărării, și-a luat numele dintr-un pasaj din *Tao-Te-King*. În Jū-Jutsu, scopul constă în a epuiza energia adversarului prin non-rezistență, adică gol, păstrându-ți astfel propriile puteri pentru a ieși învingător în lupta finală. Același principiu este ilustrat și în artă, prin folosirea puterii de sugestie. Când ceva e lăsat neexprimat, privitorului i se oferă ocazia să completeze el însuși ideea: astfel, adevărata capodoperă îți stimulează interesul până ai impresia că tu însuți ești parte intergrantă a operei de artă pe care o admiri. Golul există pentru ca tu să-l umpli cu propria emoție estetică.

După spusele taoiștilor, cel care stăpânește arta de a trăi este „adevăratul om“. El intră la naștere pe tărâmul viselor și se trezește la realitate numai atunci când moare. Își ascunde propria strălucire, ca să fie în armonie cu întunericul celorlalţi. Este „ezitant, asemenea cuiva care trebuie să traverseze un râu iarna, timid, precum cineva care se teme de cei din jur, respectuos ca un oaspete, tremurând ca gheaţa pe cale de a se topi; modest, ca o bucată de lemn ce nu a fost încă cioplită; gol ca valea dintre doi munţi, fără formă, ca apele agitate". Pentru el, cele trei comori ale vieţii sunt Mila, Cumpătarea şi Modestia.

Îndreptându-ne acum atenţia asupra credinţei zen, vom vedea că ea a preluat multe din învăţăturile taoiste. Numele de „zen" este derivat din sanscritul *dhyana,* care înseamnă „meditaţie". Zenul afirmă că autorealizarea supremă poate fi atinsă prin meditaţie. Meditaţia este una dintre cele şase căi prin care oamenii pot deveni ei înşişi Buddha, iar adepţii zen susţin că Buddha istoric, Sakyamuni, a acordat o importanţă specială acestei metode în învăţăturile sale din ultima parte a vieţii, încredinţându-i discipolului său Kashiapa un set de reguli privitoare la practicarea meditaţiei. Kashiapa, primul patriarh zen, a transmis aceste reguli secrete, conform tradiţiei, lui Ananda, care la rândul lui le-a transmis generaţiilor următoare, până la a douăzeci şi opta spiţă, cea a lui

Bodhidharma. Acesta a ajuns în China de Nord în prima jumătate a secolului al VI-lea și a fondat budismul zen chinez. Nu se cunosc foarte multe lucruri despre istoria zen și despre doctrinele diverșilor săi fondatori. Gândirea budismului zen timpuriu pare să fi derivat, pe de o parte, din negativismul indian al lui Nagarjuna, iar pe de altă parte, din filosofia Gnan[1] formulată de Sankara-charya. Prima doctrină zen, așa cum s-a transmis până în prezent, se pare că a aparținut celui de-al șaselea patriarh chinez, Yeno (637–713), fondator al credinței zen din Sud, numită astfel pentru că era predominantă în China de Sud. El a fost urmat de Baso (mort în 788), care a transformat zenul într-un cult cu o influență crescândă în viața de zi cu zi a chinezilor. Discipolul lui Baso, Hyakujō (719–814), a fondat prima mănăstire zen și a instituit regulile și ritualurile necesare conducerii acesteia. În dialogurile zen ulterioare perioadei în care a trăit și a

---

[1] Una dintre doctrinele budiste, care spune că lumea nu există decât temporar, ca rezultat al *gnan* („gnoză", „cunoaștere"), și că, prin urmare, singura realitate a acestei lumi este procesul de cunoaștere în sine (n. tr.).

predicat Baso își face apariția felul de a gândi autohton, caracteristic locuitorilor din valea fluviului Yangtse-Kiang, care contrastează puternic cu idealismul indian de la începuturi. Și, chiar dacă din mândrie adepții zen vor nega probabil acest lucru, trebuie să remarcăm faptul că asemănarea dintre dialogurile zenului din Sud și învățăturile lui Laotse sau ale conversaționiștilor taoiști este frapantă. În *Tao-Te-King* găsim, de exemplu, pasaje despre importanța concentrării și despre metode de controlare a respirației: care sunt în același timp și principii de bază ale meditației zen. De asemenea, cele mai bune comentarii ale cărții lui Laotse au fost scrise de învățați zen.

Zenul, ca și taoismul, este o religie a relativității. Un maestru definește zenul ca arta de a fi capabil să vezi Steaua Polară pe cerul Sudului. Adevărul poate fi atins numai prin înțelegerea contrariilor. Zenul, ca și taoismul, este un susținător hotărât al individualismului. Nimic nu este real în afară de ceea ce are legătură cu felul în care lucrează propriul nostru intelect. Yeno, al șaselea patriarh, a văzut o dată doi călugări care priveau steagul fluturând în vânt din vârful unei pagode. Unul dintre ei a zis: „Vântul este

cel care se mişcă." Celălalt l-a contrazis: „Ba nu, stea-
gul este cel care se mişcă." Yeno le-a explicat amân-
durora că adevărata mişcare nu e nici cea a vântului,
nici cea a steagului, ci cea a minţii lor. Hyakujō mer-
gea prin pădure cu unul dintre discipolii săi şi, la un
moment dat, un iepure a luat-o la fugă, ascunzându-se
în tufişuri. „De ce fuge iepurele de tine?" a întrebat
Hyakujō. „Pentru că se teme de mine", a răspuns dis-
cipolul. „Nu", l-a contrazis maestrul. „Fuge de tine
din cauza instinctului tău de ucigaş." Acest dialog
seamănă foarte mult cu un episod despre taoistul Soshi
(Chung-tse). Într-o zi, Soshi se plimba pe malul unui
râu cu un prieten. „Ce fericiţi se joacă peştii în apă!" a
exclamat Soshi. Prietenul lui i-a spus: „Tu nu eşti
peşte, cum poţi să ştii dacă peştii sunt fericiţi sau nu?"
Acesta i-a replicat: „Tu nu eşti eu, de unde ştii că eu
n-am cum să ştiu că peştii sunt fericiţi?"

Zenul s-a opus multora dintre preceptele budiste,
aşa cum şi taoismul s-a opus confucianismului. În vi-
ziunea transcendentală zen, cuvintele nu sunt decât
un obstacol în calea gândirii, iar întregul corpus al
scrierilor budiste este format exclusiv din comen-
tarii bazate pe speculaţii pur personale. Adepţii

zenului aveau drept scop comuniunea directă cu natura interioară a lucrurilor, privind accesoriile externe drept obstacole în calea perceperii clare a adevărului. Această dragoste pentru abstract i-a făcut să prefere schițele în alb și negru, spre deosebire de picturile elaborate ale școlii budiste clasice. Ca urmare a faptului că au acordat prea multă atenție descoperirii acelui Buddha care sălășluiește înăuntrul fiecăruia, mulți dintre ei au devenit iconoclaști, negând valoarea icoanelor și a simbolismului. Într-o zi de iarnă, Tankawashō spărgea o statuie a lui Buddha, pregătindu-se s-o arunce pe foc. Un trecător îngrozit a exclamat: „Ce sacrilegiu!“ „Vreau numai să adun *shali*[1] din cenușă“, a replicat calm Tanka. „Nu vei obține *shali* arzând o statuie“, a răspuns furios trecătorul. „Atunci înseamnă că statuia asta nu este Buddha, deci nu comit nici un sacrilegiu“, a zis el și s-a dus să se încălzească lângă foc.

Contribuția cea mai de seamă a zenului la gândirea orientală constă în afirmația că lumescul și spiritualul sunt importante în egală măsură, că în ordinea

---

[1] Nestematele care au rămas în cenușă după ce Buddha a fost incinerat.

supremă a lucrurilor nu există nici o diferență între minuscul și măreț, că un atom are tot atâta putere cât întregul Univers. Cel care se află în căutarea perfecțiunii trebuie să găsească în propria viață reflecția luminii interioare. Modul de organizare a templelor zen respectă și el acest precept. Fiecare membru al comunității, mai puțin călugărul-stareț, avea de îndeplinit un rol anume pentru întreținerea mănăstirii. Cu totul curios, în timp ce novicii primeau cele mai plăcute sarcini, călugării cei mai respectați și cu experiență trebuiau să ducă la capăt treburi dintre cele mai plictisitoare. Asemenea servicii erau parte integrantă a disciplinei zen și orice sarcină trebuia executată perfect. Astfel, multe conversații cu greutate s-au purtat în timp ce călugării pliveau grădina, curățau o gulie sau beau ceai. Toate conceptele asociate cu ceremonia ceaiului sunt rezultatul gândirii zen, care a știut să găsească măreția în măruntele întâmplări ale vieții cotidiene. Se poate deci spune că, dacă taoismul a formulat un set de idealuri estetice, budismul zen le-a dat o formă practică.

CAMERA DE CEAI

Pentru arhitecții europeni, educați în tradiția clădirilor din piatră și cărămidă, metoda japoneză de a construi cu lemn și bambus poate părea nedemnă de a purta numele de arhitectură. Din păcate măreția templelor noastre a început să fie recunoscută și apreciată în literatura occidentală de specialitate numai în ultima vreme.[1] În condițiile în care nici măcar arhitectura clasică nu se bucură încă

---

[1] Ne referim aici la lucrarea lui Ralph N. Cram, *Impresii despre arhitectura japoneză și artele auxiliare*, The Baker&Taylor Co., New York, 1905.

de atenția cuvenită, nu ne putem aștepta ca un străin
să înțeleagă frumusețea subtilă a camerei de ceai, dat
fiind că principiile de construcție și decorație sunt
atât de diferite de cele occidentale.

Camera pentru ceai, numită *sukiya*, se află de obi-
cei într-o clădire mică, cu acoperiș din paie, asemenea
unei case de țară. Inițial, ideogramele folosite pentru
a-i scrie numele însemnau „lăcașul plăcerii și al fan-
teziei". Mai târziu, diverși maeștri ai ceaiului au uti-
lizat și alte ideograme chinezești, în funcție de
propriile idei despre ceea ce trebuie să reprezinte ca-
mera de ceai, și astfel *sukiya* a ajuns să semnifice și
„lăcașul golului" sau „lăcașul asimetriei". Reprezintă
într-adevăr un lăcaș al plăcerii și al fanteziei, pentru
că este o structură construită să adăpostească un im-
puls poetic. Este și lăcaș al golului, deoarece este lip-
sită de orice decorațiuni în afară de cele câteva
obiecte necesare să satisfacă o nevoie estetică de mo-
ment. În fine, este și casa asimetriei, pentru că este un
loc închinat adorației imperfectului, plin de elemente
lăsate dinadins neterminate pentru a stimula jocul
imaginației. După secolul al XVI-lea, idealurile artei
ceaiului au influențat într-atât arhitectura noastră,

încât interioarele japoneze din prezent, lipsite de obiecte decorative și de o simplitate extremă, pot părea aproape pustii pentru un european.

Prima cameră dedicată în exclusivitate servirii ceaiului a fost proiectată de Sen-no-Soeki, mai târziu cunoscut sub numele de Rikyū, cel mai mare maestru de ceai care, în secolul al XVI-lea, sub patronajul *taikō*-ului[1] Hideyoshi, a formulat și a perfecționat principiile aflate la baza ceremoniei ceaiului. Proporțiile camerei de ceai fuseseră deja stabilite de Jō-ō, un faimos maestru al ceaiului din secolul al XV-lea.

La început, ceremonia ceaiului avea loc într-un colț al camerei de zi, separat de restul încăperii numai prin paravane. Separeul se numea *kakoi* („îngrăditura"), nume folosit și astăzi pentru camerele de ceai din interiorul casei, ca să se deosebească de cele care sunt construcții de sine stătătoare. *Sukiya* este formată din camera pentru ceai propriu-zisă,

---

[1] Titlul de *taikō*, însemnând la origine „regent retras", este folosit în special cu referire la Toyotomi Hideyoshi, senior feudal care a contribuit la unificarea Japoniei (n. tr.).

în care pot intra cel mult cinci oaspeți – conform zicalei „mai mulți decât grațiile, dar mai puțini decât muzele" –, o anticameră numită *mizuya*, unde ustensilele folosite la ceremonie sunt spălate și aranjate înainte de a fi utilizate, o sală de așteptare, *machiai*, unde oaspeții așteaptă până sunt invitați înăuntru, și o cărare, *roji*, ce leagă sala de așteptare de camera de ceai. Aspectul camerei de ceai este dintre cele mai simple. Construcția este mai mică decât orice alt tip de casă japoneză, iar materialele folosite sunt menite să sugereze o sărăcie rafinată. Să nu uităm însă că toate acestea au la bază o gândire artistică profundă, că fiecare detaliu a fost pus la punct poate cu mai multă grijă decât în cazul celor mai grandioase dintre palatele și templele noastre. O cameră de ceai este mai valoroasă decât cea mai scumpă vilă, pentru că alegerea materialelor și munca meșteșugarilor necesită o deosebită atenție și precizie. Dulgherii angajați de maeștrii de ceai formează o categorie aparte printre artizani, pentru că munca lor e la fel de delicată ca a celor care fac scrinuri lăcuite.

Camera de ceai nu e complet diferită numai de arhitectura occidentală; ea contrastează puternic și cu arhitectura clasică japoneză. Nobilele edificii din vechime, atât cele religioase, cât și cele laice, sunt demne de admirație, fie numai și din punctul de vedere al mărimii lor. Cele câteva construcții care au rămas în picioare, supraviețuind secolelor de războaie pustiitoare, ne uimesc în continuare prin grandoarea și bogăția decorației. Coloane imense de lemn, cu diametrul între șaizeci și nouăzeci de centimetri și înălțimea între nouă și doisprezece metri, susțin, printr-o complicată rețea de console, imensele grinzi care, la rândul lor, gem sub povara acoperișurilor înclinate, învelite în țiglă. Atât materialele, cât și modul de construcție, deși predispuse să cadă ușor pradă focului, s-au dovedit rezistente la cutremure și adaptate la clima locului. Pavilionul de Aur de la Horyūji și pagoda de la Yakushiji demonstrează fără putință de tăgadă durabilitatea construcțiilor noastre din lemn. Aceste clădiri au rămas practic intacte de-a lungul a aproape douăsprezece secole.

Interioarele vechilor palate și temple erau bogat ornamentate. La templul Hō-ōdō din Uji, datând din secolul al X-lea, putem admira și astăzi atât tavanul și tronurile aurite, incrustate cu sidef multicolor, cât și fragmentele din picturile și sculpturile care acopereau odinioară pereții. Mai târziu, la Nikkō sau la castelul Nijō din Kyōto, frumusețea structurii pare să fi fost sacrificată în favoarea bogăției ornamentale, care egalează prin colorit și minuțiozitate splendoarea artei arabe sau maure.

Simplitatea camerei de ceai o imită pe cea a mănăstirilor zen care sunt diferite de cele aparținând celorlalte credințe budiste, deoarece sunt construite să servească exclusiv drept locuință pentru călugări: sala principală nu este loc de rugăciune sau pelerinaj, ci mai degrabă seamănă cu o clasă în care elevii se adună pentru a discuta și a medita. Camera este goală, cu excepția unui alcov plasat în centru unde, în spatele altarului, se află statuia lui Bodhidharma, fondatorul credinței, sau a lui Sakyamuni împreună cu primii patriarhi zen, Kashiapa și Ananda. Pe altar, călugării așază flori sau ard bețișoare parfumate, în cinstea contribuției aduse de acești mari înțelepți la fondarea credinței zen. Am menționat deja că ceremonia ceaiului a luat naștere din obiceiul călugărilor zen de a bea pe rând ceai din aceeași cupă, în fața statuii lui Bodhidharma; să adăugăm aici că altarul zen este prototipul pentru *tokonoma*, locul cel mai de cinste dintr-o încăpere, unde japonezii pun flori sau picturi, pentru bucuria estetică a oaspeților.

Toți marii maeștri ai ceaiului au fost adepți zen și au încercat să introducă spiritul acestui cult în viața de zi cu zi. De aceea camera de ceai, ca și ustensilele folosite în timpul ceremoniei, reflectă doctrinele zen. Dimensiunea corectă a camerei de ceai, de patru tatami și jumătate, sau trei metri pătrați, a fost hotărâtă în conformitate cu un pasaj din sutra lui Vikramadytia, în care acesta îi întâmpină pe Manjushri[1] și pe încă optzeci și patru de mii de discipoli ai lui Buddha într-o cameră de această dimensiune – o alegorie bazată pe doctrina budistă conform căreia pentru cei care au atins într-adevăr iluminarea spațiul este inexistent. Cărarea de la locul de întâlnire până la camera de ceai, *roji*, semnifică prima etapă a meditației – calea către autocunoaștere. Rolul acestei cărări este să-l extragă pe vizitator din

---

[1] Boddhisatva (persoană care a pășit pe calea credinței în căutarea iluminării) al înțelepciunii și al dogmei (n. tr.).

lumea exterioară, dându-i ocazia să guste o senzație nouă, care mai apoi o să-l ajute să se bucure pe deplin de frumusețea din camera de ceai. De-a lungul cărării din grădina ce duce la camera de ceai, în timp ce pășim, în amurgul cernut printre crengile copacilor, peste iregularitățile căutate ale pietrelor învelite cu ace uscate de pin, pe lângă felinarele de piatră acoperite de mușchi, ne vom da cu siguranță seama că spiritul nostru a reușit să se ridice deasupra tumultului cotidian. Trebuie să admirăm spiritul ingenios al maeștrilor de ceai care au reușit să creeze această atmosferă de seninătate și puritate, grație căreia ne simțim ca într-o pădure, departe de vacarmul civilizație, chiar și atunci când suntem de fapt în mijlocul orașului. Fiecare dintre ei a încercat prin *roji* să dea naștere altor senzații. Rikyū, de exemplu, a căutat să exprime singurătatea totală, afirmând că rețeta pentru a face un *roji* perfect se află în versurile:

„Mă uit în jur;
Nici o floare
Nici o frunză galbenă.

Pe plajă
O colibă singuratică
În lumina firavă
A unui apus de toamnă."

Alţii, precum Kobori-Enshū, au găsit conceptul unui *roji* perfect în următoarea poezie:

„Un pâlc de copaci, vara,
Marea, întrezărindu-se printre ei
Şi luna palidă, abia răsărită."

Nu este greu să ne dăm seama ce sugerează Enshū: un suflet care abia s-a trezit, încă plutind în visele nebuloase ale trecutului, dar presimţind deja dulceaţa blândă a iluminării spirituale şi tânjind după libertatea marilor întinderi de pământ şi ape din depărtare.

Astfel pregătit sufleteşte, oaspetele se va apropia încet de sanctuar şi, dacă este samurai, îşi va lăsa sabia la intrare, deoarece casa ceaiului este una a păcii. Apoi se va apleca pentru a se strecura înăuntru prin uşiţa joasă – nu mai mult de un metru înălţime –, un ritual prin care trebuie să treacă toţi cei care păşesc pragul camerei pentru ceai, indiferent de rangul lor, un ritual menit să îi îndemne la umilință. Cât timp așteaptă în antreu, oaspeții trebuie să cadă de acord asupra ordinii în care vor intra în camera de ceai; odată intrați, ei se vor așeza la locurile lor în liniște, după ce au admirat aranjamentul floral sau pictura din *tokonoma*. Gazda va intra în încăpere numai după ce toți oaspeții sunt la locurile lor și liniștea ce domnește în cameră nu mai este tulburată decât de apa clocotind în ceainic. Cântecul ceainicului este unul plăcut urechii, pentru că pe fundul vasului sunt așezate câteva bucățele de metal, astfel încât să producă o melodie unică, în care putem auzi ecoul îndepărtat al cascadei pierdute în nori, al valurilor mării spărgându-se de stânci, al furtunii în pădurea de bambus sau al pinilor suspinând pe dealuri.

Chiar și în timpul zilei, lumina din cameră este slabă, deoarece numai câteva raze de soare reușesc să se strecoare înăuntru, filtrate de streșinile joase ale acoperișului înclinat. Toate nuanțele sunt sobre, de la tavan până la podea. Și oaspeții au avut grijă să aleagă veșminte în culori neutre. Timpul pare să-și fi lăsat amprenta peste tot, iar orice ar putea sugera noul este interzis – cu excepția telului de bambus și a șervetului de in, amândouă noi-nouțe și imaculate. Bineînțeles, oricât de vechi ar fi, și camera de ceai, și ustensilele sunt de o curățenie perfectă. Nu vom găsi un fir de praf nici în cel mai întunecat colț – iar dacă găsim, atunci gazda noastră nu este un adevărat maestru al ceaiului. Să știi să mături, să ștergi și să speli sunt cerințe de bază pentru a deveni maestru, iar curățenia este o artă. De aceea, un obiect vechi din metal nu trebuie atacat cu zelul neatent al unei gospodine olandeze, iar apa scursă dintr-o vază cu flori nu trebuie neapărat ștearsă, pentru că poate simboliza roua sau poate aduce răcoare în încăpere.

Există o anecdotă despre Rikyū ce ilustrează ideile referitoare la curățenie propovăduite de maeștrii de ceai. Rikyū se uita într-o zi la fiul său Jōan, care mătura și uda cărarea *roji*. „Nu-i destul de curat", a zis Rikyū la sfârșit și l-a îndemnat pe Jōan s-o ia de la capăt. După încă o oră de muncă, fiul i-a spus lui Rikyū: „Tată, nu mai e nimic de făcut. Am spălat toate pietrele de trei ori, am udat felinarele de piatră și copacii, mușchii și lichenii strălucesc de un verde proaspăt. N-am lăsat nici o crenguță, nici o frunză uscată pe pământ." „Tânăr nerod – l-a dojenit Rikyū –, nu aşa trebuie să arate un *roji*." Spunând acestea, Rikyū a intrat în grădină şi a scuturat din copaci câteva frunze aurii şi roşii, minunate petice din brocartul toamnei. Rikyū s-a aflat mereu în căutarea curăţeniei, a frumuseţii şi a naturaleţei deopotrivă.

Numele de „lăcaş al plăcerii şi al fanteziei" presupune o structură menită să vină în întâmpinarea cerinţelor artistice personale. Camera de ceai e făcută pentru maestrul de ceai, şi nu invers. Nu este făcută pentru ochii posterităţii şi întruchipează efemerul.

În Japonia, ideea că fiecare trebuie să aibă propria locuinţă este bazată pe o superstiţie străveche shintoistă, conform căreia o casă trebuie abandonată atunci când capul familiei moare. E posibil ca această credinţă să aibă la origine considerente igienice. Un alt obicei din vechime spune că fiecare nou cuplu trebuia să primească o casă nouă. Din aceste motive, în trecut, capitalele imperiale erau adesea mutate dintr-un loc în altul. Reconstruirea o dată la fiecare douăzeci de ani a templului Zeiţei Soarelui de la Ise ne arată că asemenea tradiţii s-au păstrat chiar şi în zilele noastre. Pentru ca obiceiurile să fie respectate, construcțiile japoneze au fost astfel gândite încât să poată fi ușor dărâmate și tot la fel de ușor ridicate. Un stil de arhitectură mai durabilă, folosind piatra și cărămida, de exemplu, ar fi făcut imposibile aceste migrații – așa cum, de fapt, au și devenit, după perioada Nara, când a fost importat din China stilul clădirilor masive din lemn.

Grație individualismului zen predominant în secolul al XV-lea, vechile idei au căpătat noi sensuri, mai adânci, în directă legătură cu ceremonia ceaiului. Budismul zen, cu teoriile lui despre efemer și superioritatea spiritului asupra materiei, a văzut în casă numai un refugiu temporar pentru trup. Corpul în sine era considerat o simplă colibă în sălbăticie, încropită din ierburi și crengi – când acestea nu mai erau ținute împreună de nici o forță, se întorceau la loc, în nimicul originar. Camera de ceai exprimă efemerul prin acoperișul de paie, fragilitatea prin coloanele subțiri, ușurimea prin suportul de bambus, aparenta nepăsare prin utilizarea de materiale comune. Eternitatea nu poate fi descoperită decât în spirit, care înfrumusețează toate aceste obiecte simple cu lumina subtilă a rafinamentului său.

Camera de ceai este construită să întruchipeze, așa cum am zis mai devreme, un ideal artistic individual, și asta pentru că pune accent pe principiul vitalității în artă. Arta, pentru a putea fi apreciată la adevărata ei valoare, trebuie să reflecte realitatea contemporană. Asta nu înseamnă că trebuie să ignorăm cu totul posteritatea, ci doar că ar trebui să învățăm să ne bucurăm mai mult de prezent. Nu înseamnă că trebuie să dăm uitării creațiile epocilor trecute, ci să încercăm să le integrăm în modul nostru actual de gândire. Conformismul servil, cu ale sale tradiții și formule prestabilite, nu face decât să țină în frâu imaginația. Imitațiile de arhitectură europeană care au împânzit Japonia modernă sunt deplorabile pentru privirea oricui. Nu mică ne este mirarea văzând că, până și la cele mai avansate culturi vestice, arhitectura pare să fie total lipsită de originalitate, repetiție fără sens a vechilor stiluri. Probabil că traversăm acum o perioadă a democratizării artelor – dar așteptăm în același timp ca de undeva să apară un maestru de viță nobilă, care să instaureze o nouă dinastie a frumosului. Ce minunat ar fi dacă am putea să-i iubim mai mult pe clasici, dar să-i copiem mai puțin! Cultura greacă se spune că a fost măreață tocmai pentru că a refuzat să-și imite antecesorii.

Numele de „lăcaș al golului" face aluzie, pe de o parte, la doctrina taoistă a „atotcuprinzătorului", iar pe de altă parte la nevoia continuă de schimbare a motivelor decorative. În mod normal, camera de ceai este complet goală, cu excepția celor câtorva obiecte care sunt aduse înăuntru special pentru ceremonie, pentru a satisface nevoile artistice de moment. Există un obiect central, toate celelalte accesorii fiind selectate și aranjate astfel încât să-l pună pe acesta în valoare. După cum nu putem asculta mai multe piese muzicale în același timp, o adevărată înțelegere a frumosului nu poate fi atinsă decât în urma concentrării asupra unei singure teme. Prin urmare, regulile pentru decorarea camerei de ceai sunt complet diferite de cele ale decorațiunilor interioare occidentale, unde o încăpere poate adesea să arate ca un muzeu. Pentru japonezul obișnuit cu ornamente simple și în continuă schimbare, interiorul specific Vestului, încărcat cu mereu aceleași picturi, sculpturi și bibelouri, poate părea o încercare vulgară de etalare a bogăției. E nevoie de multă concentrare pentru a aprecia o singură capodoperă – rezerva de simțiri artistice a celor care trăiesc în casele adesea întâlnite în Europa sau în America, care abundă în forme și culori, trebuie să fie cu adevărat inepuizabilă.

Numele de „lăcaș al asimetriei" reflectă o altă fază a ideilor noastre despre decorațiunile interioare. Criticii occidentali au făcut numeroase comentarii referitoare la lipsa de simetrie ce caracterizează obiectele de artă japoneze – în sine, un alt rezultat al influenței taoismului și zenului. Confucianismul și ideile lui despre dualism, sau budismul din Nord, care punea accentul pe trinitate, nu erau în nici un caz opuse simetriei; dimpotrivă, dacă ne îndreptăm atenția asupra vechilor statui budiste din bronz, sau asupra obiectelor religioase ale dinastiei Tang și perioadei Nara, vom observa că ele tindeau spre o simetrie perfectă. Modul în care erau decorate interioarele din aceste perioade avea și el ca ideal regularitatea. Concepția taoistă și budistă zen despre perfecțiune este însă diferită. Natura dinamică a acestor doctrine le făcea să pună mai puțin accentul pe perfecțiune în sine, și mai mult pe procesul prin care aceasta putea fi atinsă. Frumusețea putea fi descoperită numai de o persoană antrenată să completeze mental incompletul. Vigoarea vieții și a artei consta în posibilitatea creșterii nelimitate. În camera de ceai, diverse aspecte sunt lăsate neterminate, pentru a-i da oaspetelui ocazia să le desăvârșească în relație cu sine însuși. După ce zenul a devenit o doctrină predominantă în Extremul Orient, arta a început și ea să evite dinadins simetria ca expresie nu numai a unui proces încheiat, dar și a repetiției. Uniformitatea era considerată dușmanul principal al imaginației; peisajele, păsările și plantele au devenit subiectele predilecte, figura umană fiind inclusă în tabloul final sub forma prezenței presupuse a privitorului. De prea multe ori ieșim exagerat în evidență, fără să realizăm că, în ciuda vanității noastre, această infatuare poate deveni monotonă.

Teama de repetiție este întotdeauna prezentă în camera de ceai. Diversele obiecte decorative trebuie mereu alese astfel încât culorile și modelele să nu se repete. Dacă în *tokonoma* vei așeza un aranjament floral, e interzis să alegi o pictură tot cu flori. Dacă folosești un ceainic rotund, urciorul de apă va trebui să fie conic. O cupă neagră smălțuită și o cutie de ceai lăcuită cu negru nu trebuie să fie utilizate în același timp. În *tokonoma*, o vază sau vasul pentru bețișoarele parfumate nu trebuie niciodate așezate exact în centru, ca să nu împartă spațiul în două jumătăți egale. Coloana de susținere din *tokonoma* trebuie contruită dintr-un alt tip de lemn decât celelalte, ca să rupă monotonia camerei.

Aici, iarăși, putem cu ușurință observa că metoda japoneză diferă mult de cea occidentală, unde obiectele sunt aranjate simetric peste tot. În casele din Vest ne întâmpină adesea o repetiție fără sens. E dificil să porți o conversație cu stăpânul casei când, pe peretele din spate, se află portretul lui în mărime naturală; ajungi să te întrebi care e mai real, cel care vorbește cu tine sau cel care te privește fix de pe perete, și ai ciudata convingere că unul dintre ei este contrafăcut. Nu o singură dată mi s-a întâmplat să particip la o masă festivă, privind, fără a-mi putea controla șocul digestiv, imensele reprezentări ale abundenței ce se întindeau de-a lungul pereților salonului. La ce bun toate aceste tablouri de vânătoare cu animale moarte, la ce folosesc peștii și fructele din lemn? La ce folosesc picturile înfățișând toate aceste mese în familie?

Ca să ne aducă aminte de cei care s-au ospătat atunci și acum sunt morți și îngropați?

Simplitatea și lipsa de vulgaritate a camerei de ceai o transformă într-un adevărat sanctuar departe de tumultul cotidian. Numai aici poate cineva să se dedice cu trup și suflet adorației frumosului pur. În secolul al XVI-lea, camera de ceai a fost un loc de repaus pentru luptătorii și politicienii care trudeau la unificarea și reconstrucția Japoniei. În secolul al XVII-lea, când fusese instituit formalismul strict al guvernării Tokugawa, camera de ceai era singurul loc care mai putea oferi ocazia de a împărtăși liber idealuri și simțiri artistice, pentru că diferențele de rang dintre stăpân, samurai și omul de rând erau anulate în fața adevăratei capodopere. În zilele noastre, industrializarea pune din ce în ce mai multe piedici în calea rafinamentului, peste tot în lume. Oare nu avem nevoie acum, mai mult decât oricând, de o cameră de ceai?

Într-un pâlc de copaci, vara,
Marea, întrezărindu-se printre ei
Și luna palidă, abia răsărită.

KOBORI-ENSHŪ

APRECIEREA ARTEI

Ați auzit vreodată povestea taoistă despre îmblânzirea harfei? Demult, în valea Lungmen[1] creștea un arbore de paulownia, adevărat rege al pădurii. Coroana lui se înălța până la stele, iar rădăcinile îi erau adânc înfipte în pământ, încolăcite în jurul dragonului de argint, locuitor al tărâmurilor subterane. Se zice că un vrăjitor de seamă a făcut din lemnul acestui copac o harfă, a cărei îndărătnicie nu putea fi supusă decât de cel mai mare dintre muzicieni. Multă vreme harfa s-a aflat la curtea

---

[1] Cheile Dragonului, în Honan.

împăratului Chinei, dar toți cei care au încercat s-o facă să cânte au eșuat. Oricât s-ar fi străduit, de pe corzile ei nu ieșeau decât note ascuțite de dispreț, care nu aduceau nici pe departe cu melodia pe care ei încercau s-o cânte. Harfa era în așteptarea adevăratului ei stăpân.

În cele din urmă, a venit și Peiwoh, prințul cântăreților la harfă. Cu o mână blândă a mângâiat instrumentul, așa cum ai mângâia un cal nărăvaș, și i-a atins ușor corzile. A început atunci să cânte despre natură și anotimpuri, despre munți și ape curgătoare și a trezit la viață amintirile arborelui de paulownia! Vântul călduț de primăvară s-a jucat din nou printre crengile lui; apele învolburate, dansând la vale, s-au înveselit la vederea florilor îmbobocite; s-au auzit din nou vocile miilor de insecte bucurându-se de venirea verii, ropotul plăcut al ploii, cântecul cucului. Din depărtare a părut să se audă și glasul amenințător al unui tigru – ecoul văii i-a răspuns; acum a venit toamna – în noaptea tăcută, luna, ascuțită ca un tăiș de sabie, strălucea deasupra ierbii acoperite de brumă. În fine, a venit și iarna – uneori, stoluri de lebede albe se învârteau printre fulgi, alteori grindina se abătea cu bucurie pătimașă asupra crengilor.

Apoi, Peiwoh a schimbat nota și a cântat despre iubire. Vârfurile copacilor s-au legănat în vânt, ca un tânăr îndrăgostit căzut pe gânduri. În înălțimi, un nor alb și strălucitor a traversat cerul – mărturie a trecerii lui, pe pământ s-au întins umbre lungi, negre ca disperarea. Peiwoh a schimbat din nou tema, cântând de data asta despre război, despre zăngănitul săbiilor și tropotul cailor. De pe corzile harfei s-a înălțat ecoul furtunilor din Lungmen, al fulgerului-dragon, al avalanșelor rostogolindu-se ca tunetul printre munți. Extaziat, monarhul l-a întrebat pe Peiwoh care este secretul său. „Sire, a răspuns el, ceilalți au eșuat pentru că au vrut să cânte despre ei înșiși. Eu am lăsat harfa să-și aleagă singură melodia și n-am mai știut până unde e harfa și de unde începe Peiwoh."

Această poveste ilustrează perfect misterul aprecierii artei. Orice capodoperă este o simfonie, ale cărei corzi sunt simțirile noastre. Peiwoh reprezintă adevărata artă, iar noi suntem harfa din Lungmen. Corzile secrete ale ființei noastre sunt trezite de atingerea magică a frumosului și vibrează ca răspuns la chemarea lui. Suflet cu suflet comunică; auzim ceea ce nu este rostit, vedem ceea ce nu ni se arată în fața ochilor. Maestrul cheamă la viață note despre care noi înșine nu știam că există. Amintiri de mult uitate reînvie, cu noi înțelesuri. Speranțe înăbușite de temeri, dorințe la care nu îndrăznim nici să ne gândim, toate ies glorioase la lumină. Mintea noastră este pânza pe care artistul pune culoare; nuanțele pe care le folosește sunt, nici mai mult nici mai puțin, decât propriile noastre simțiri, clarobscurul picturii se naște din lumina bucuriei și umbra tristeților noastre. Așa cum noi existăm grație operei de artă, opera de artă există și ea grație nouă.

Empatia necesară pentru a aprecia o capodoperă trebuie să se bazeze pe capacitatea de a veni unul în întâmpinarea nevoilor celuilalt. Cel care privește trebuie să cultive o atitudine receptivă adaptată mesajului fiecărei opere în parte, așa cum și artistul trebuie să găsească metodele cele mai potrivite ca să-și împărtășească mesajul.

Marele maestru al ceaiului Kobori-Enshū a rostit aceste cuvinte memorabile: „Tratează o pictură măreață așa cum ai trata un prinț de seamă." Pentru a înțelege o capodoperă, trebuie să fii umil, așteptând cu răsuflarea tăiată un semn din partea ei. Un critic de vază al perioadei Sung mărturisea: „În tinerețe, dacă îmi plăcea o pictură, îl elogiam pe maestrul din mâinile căruia ieșise; acum, după ce m-am maturizat, mă laud pe mine, pentru că îmi place ceea ce maeștrii îmi oferă întru apreciere." Este regretabil că atât de puțini dintre noi se gândesc să studieze stările sufletești ale marilor maeștri; în ignoranța noastră încăpățânată, refuzăm să dăm urmare acestei simple reguli de curtoazie și astfel pierdem imens din bogăția și frumusețea operei. Un maestru are întotdeauna ceva de oferit, dar pentru că noi nu știm să apreciem, adesea nu reușim să ne potolim setea de frumos.

Pentru cei capabili de empatie, opera de artă este o realitate însuflețită, cu care pot lega o prietenie durabilă. Maeștrii sunt nemuritori pentru că iubirile și temerile lor trăiesc în noi înșine mereu. Sufletul, și nu mâna, omul, nu tehnicile lui ne atrag – cu cât chemarea e mai umană, cu atât răspunsul nostru e mai profund. Grație acestei înțelegeri secrete dintre noi înşine şi maestru, când citim o poezie sau o povestire ne bucurăm sau ne întristăm odată cu personajele. Chikamatsu, acest Shakespeare al Japoniei, a afirmat că unul dintre principiile de bază ale creaţiei dramatice constă în a împărtăşi spectatorului secretul autorului. Câţiva dintre discipolii lui i-au arătat ce scriseseră, cerându-i părerea, dar o singură piesă i-a atras atenţia, o piesă care semăna cumva cu *Comedia erorilor* şi în care doi fraţi gemeni au de suferit din cauză că sunt confundaţi unul cu celălalt. „Piesa aceasta, a zis Chikamatsu, conţine adevăratul spirit al dramei, pentru că ţine seama şi de spectatori. Publicul ştie mai multe decât actorii, ştie unde e greşeala, şi poate să îi compătimească pe sărmanii protagonişti de pe scenă, care nu ştiu ce le rezervă soarta.“

Marii maeştri ai Estului şi ai Vestului deopotrivă au fost mereu conştienţi de valoarea sugestiei ca mod de a implica spectatorul în artă. Cine ar putea contempla o capodoperă fără să fie cuprins de veneraţie în faţa bogăţiei de simţire şi gândire ce i se arată? Operele adevărate exultă familiaritate, le simţim aproape de suflet; pe de altă parte, cât de reci şi distante ni se par platitudinile moderne! În primele ne întâmpină căldura sufletească a artistului; în următoarele, doar un salut formal. Cufundat în tehnicile sale, modernul rareori reușește să vadă altceva în afara propriei persoane. Ca muzicienii care în van au atins corzile harfei din Lungmen, el nu știe să cânte decât pentru sine însuși. Operele lui se apropie de rigoarea științei, depărtându-se totodată de căldura umanității. În Japonia există un proverb, care spune că o femeie nu poate iubi un bărbat plin de sine, pentru că în sufletul lui nu există nici o fisură pe care dragostea ei s-o umple. Vanitatea în artă este un obstacol la fel de mare în fața empatiei, fie ea de partea artistului sau a privitorului.

Nu există nimic mai înălțător decât uniunea sufletelor înrudite prin artă. Din momentul în care iubitorul de artă întâlnește capodopera, el își depășește condiția, există și nu există în același timp. Intră în contact direct cu Infinitul, pentru o clipă, dar nu poate să-și exprime încântarea, pentru că ochiul nu știe să vorbească. Eliberat de cătușele materiei, spiritul său se mișcă în ritmul comun al tuturor lucrurilor. În felul acesta arta devine religie, înnobilând omul, transformând opera într-un obiect sacru. În vechime, japonezii țineau la mare cinste operele marilor artiști. Maeștrii de ceai își păstrau cu sfințenie comorile și era adesea nevoie să deschizi cutie după cutie până să ajungi la capodopera care era învelită cu grijă religioasă în fâșii de mătase moale, fiind arareori scoasă la lumină, și atunci numai pentru a bucura ochii celor inițiați.

În perioada în care arta ceaiului era în ascensiune, generalii *taikō*-ului se bucurau mai mult să primească un obiect rar de artă decât pământuri mănoase, ca răsplată pentru victoriile obținute. Multe dintre piesele de teatru japonez au la bază povestea pierderii și recuperării unei opere valoroase. De exemplu, într-o astfel de piesă se spune că palatul nobilului Hosokawa, în care era păstrată faimoasa pictură a lui Sesson, întruchipându-l pe Bodhidharma, a luat la un moment dat foc din cauza neglijenței samuraiului de gardă. Hotărât să salveze pictura cu orice preț, acesta s-a năpustit în clădirea în flăcări, reușind să găsească pânza prețioasă; la întoarcere a descoperit însă că toate ieșirile erau blocate de flăcări. Cu gândul numai la salvarea picturii, samuraiul și-a sfâșiat una din mânecile chimonoului, a înfășurat în ea pânza și apoi și-a despicat cu sabia propriul trup, ascunzând pictura în rana sângerândă. După ce focul a fost stins, corpul samuraiului a fost găsit pe jumătate consumat de flăcări, iar înăuntru pictura lui Sesson a fost descoperită neatinsă. Astfel de povești înfiorătoare vorbesc despre valoarea pe care japonezii o acordau artei, dar și despre devotamentul samurailor.

Nu trebuie să uităm că arta are valoare numai atât timp cât ni se adresează direct. Ar putea fi chiar un limbaj universal, dacă afinitățile noastre ar fi universale. Natura noastră finită, puterea tradițiilor și a convențiilor, la fel ca și instinctele transmise ereditar ne limitează sfera capacității de a percepe frumosul și arta. Individualitatea, la rândul ei, ne limitează înțelegerea; simțul nostru estetic încearcă să găsească ceva care să-i satisfacă nevoile în operele trecutului. E adevărat și că, prin educație, abilitatea noastră de a aprecia arta capătă noi dimensiuni și devenim cu timpul capabili să ne bucurăm de forme artistice care ne erau până atunci necunoscute. Dar, la urma urmei, proiectăm în ceea ce vedem doar propria imagine, propriile idiosincrazii dictează felul în care percepem Universul. Maeștrii ceaiului au colecționat și ei numai obiecte de artă care se conformau sensibilităților artistice personale.

În legătură cu cele de mai sus, trebuie să menționăm o poveste despre Kobori-Enshū, care, la un moment dat, a fost complimentat de discipolii săi pentru gustul rafinat de care dăduse dovadă în alegerea obiectelor din colecția sa: „Piesele colecției tale atrag admirația oricui. Asta arată că ai gusturi mai bune decât Rikyū, deoarece colecția lui nu e apreciată decât de unul din o mie de privitori." Cu tristețe, Enshū a răspuns: „Ba nu, asta dovedește doar cât de comun sunt. Marele Rikyū a avut curajul să adune numai obiecte care i se păreau frumoase lui, pe când eu, fără să vreau, încerc să le fiu tuturor pe plac. Despre Rikyū se poate spune, pe drept cuvânt, că e un maestru de ceai cum nu găsești decât unul într-o mie."

Este regretabil că, astăzi, în mare parte, entuziasmul pentru artă nu izvorăște din sentimentele noastre adevărate. În această epocă a democrației, oamenii se agită să obțină ceea ce este la modă, indiferent de gusturile proprii. Își doresc lucruri scumpe, nu rafinate, în vogă, nu frumoase. Pentru mase, periodicele ilustrate, acest produs reprezentativ al industrializării, oferă plăceri artistice mult mai ușor de „digerat" decât marii maeștri italieni sau ai perioadei Ashikaga, pe care totuși unii pretind că-i admiră. Sonoritatea numelui artistului este mai importantă pentru ei decât calitatea operei în sine. După cum se plângea și un critic chinez cu multe secole în urmă: „Oamenii critică pictura după ureche." Lipsa de apreciere sinceră este vinovată pentru ororile pseudoclasice care astăzi ne întâmpină peste tot.

O altă greșeală frecventă este confuzia care se face între artă și arheologie. Admirația îndreptată către obiectele vechi este una dintre calitățile umane cele mai de seamă și trebuie evident încurajată. Trebuie să ne înclinăm în fața maeștrilor din trecut, pentru că au luminat calea către viitor. Simplul fapt că operele lor au traversat atâtea secole de critici cu valoarea neștirbită, pentru a ajunge încă acoperite de glorie în mâinile noastre, merită tot respectul. Dar să le recunoaștem valoarea numai pe baza vechimii ar fi o dovadă de prostie. Cu toate acestea, nu rareori simpatiile noastre istorice sunt mai puternice decât simțul estetic. Punem flori pe mormântul unui artist, recunoscându-i numai post-mortem valoarea indiscutabilă.

Secolul al XIX-lea, pătruns de spiritul teoriei evoluției, a dat naștere unui nou obicei, acela de a acorda mai multă importanță speciei decât individului. Colecționarii se grăbesc să adune specimene care să ilustreze o anumită școală sau perioadă, uitând că o singură capodoperă ne poate uneori învăța mai multe decât orice număr de obiecte mediocre ale unei perioade date. Pierdem prea mult timp făcând clasificări și ne acordăm un răgaz prea scurt pentru a admira. Sacrificarea esteticului în favoarea metodelor științifice de clasificare este ceea ce dăunează multor muzee din zilele noastre.

Revendicările artei moderne nu pot fi ignorate în orice schemă referitoare la viața actuală. Arta din zilele noastre ne reprezintă, este propria noastră oglindire. Condamnând-o, ne condamnăm pe noi înșine. Spunem că prezentul nu dă naștere nici unui fel de artă – cine este de vină, oare, pentru asta? Deși închinăm imnuri de glorie predecesorilor noștri, acordăm, din păcate, prea puțină atenție propriilor noastre posibilități de expresie. În acest secol al egoismului, ce le oferim noi artiștilor, care au obosit deja luptând împotriva disprețului fără margini cu care sunt priviți? Trecutul ne compătimește probabil pentru sărăcia civilizației pe care am creat-o, în timp ce viitorul va râde de sterilitatea artei noastre. Distrugând frumosul din viața de zi cu zi, distrugem arta însăși. Ce bine ar fi dacă s-ar ivi și în secolul nostru un vrăjitor fără seamăn, care să cioplească din tulpina societății o harfă ale cărei corzi să vibreze numai la atingerea geniului!

Distrugând frumosul din viața de zi cu zi, distrugem arta însăși. Ce bine ar fi dacă s-ar ivi și în secolul nostru un vrăjitor fără seamăn, care să cioplească din tulpina societății o harfă ale cărei corzi să vibreze numai la atingerea geniului!

FLORILE

are în lumina tremurândă a unui răsărit de primăvară, ascultând misterioasa cadență a ciripitului ce se înalță dintre crengile copacilor, nu ți s-a părut niciodată că păsările ar vorbi între ele despre flori? Plăcerea pe care o simt oamenii admirând florile s-a născut, cu siguranță, odată cu poezia iubirii. Între petalele unei flori, în acea tăcere parfumată frumoasă în inconștiența ei, putem descoperi inocența sufletului uman. Omul primitiv, oferind pentru prima dată o ghirlandă de flori alesei inimii, și-a depășit condiția de brută, a devenit uman ridicându-se deasupra nevoilor fizice. A intrat pe tărâmul artei, pentru că a reușit să perceapă subtila utilitate a inutilului.

La bucurie sau tristețe, florile ne sunt mereu alături. Când mâncăm, bem, cântăm, dansăm sau flirtăm, avem nevoie de ele. Ne cununăm și ne botezăm cu flori, ne sunt aproape și când murim. Am folosit crinul pentru a adora, lotusul pentru a medita, cu trandafirul sau crizantema ne-am avântat în luptă. Am inventat până și un limbaj al florilor. Cum am putea oare să trăim fără ele? Numai dacă îmi imaginez o lume văduvită de flori, și mă trec fiori de groază. Așezate la căpătâiul patului, îi aduc bolnavului alinare, celor cufundați în neagră disperare le arată adeseori lumina speranței. Blândețea și seninătatea lor ne ajută să ne recâștigăm încrederea în Univers, așa cum ochii unui copil ne redau speranțele pierdute. Când suntem încredințați pentru totdeauna țărânei, florile își pleacă mâhnite capetele deasupra mormântului nostru...

Și totuși, oricât de trist ar fi, nu putem nega că, în ciuda faptului că suntem mereu înconjurați de flori, n-am reușit încă să ne ridicăm cu mult deasupra brutei primitive. În blana oii se ascunde lupul fioros, gata oricând să-și arate colții. Se spune că omul este animal la zece ani, nebun la douăzeci, ratat la treizeci, impostor la patruzeci și criminal la cincizeci. Probabil devine criminal tocmai pentru că nu a încetat niciodată să fie animal. Singurul lucru real pentru noi este foamea, singurul lucru sfânt, propria dorință. Am văzut templu după templu transformându-se în moloz; un singur altar a rămas întotdeauna în picioare, acela pe care aducem neobosit ofrandă idolului suprem: propria persoană. Ne închinăm în fața atotputerniciei lui și-l cinstim pe profetul său, Banul! Devastăm natura pentru el, ne lăudăm că am cucerit Materia, fără să ne dăm seama că, de fapt, Materia ne-a transformat pe noi în sclavi. Câte atrocități comitem în numele civilizației și rafinamentului!

Blânde flori, lacrimi ale stelelor, stând în grădină și ascultând poveștile despre rouă și raze de soare ale albinelor, puteți voi oare să vă imaginați soarta crudă care vă așteaptă? Visați-vă visele cât mai aveți timp, legănându-vă în adierea răcoroasă de vară, pentru că mâine o mână nemiloasă vă va smulge una câte una, purtându-vă apoi departe de pașnicul vostru sălaș. Cea care face cruda faptă este, poate, o mândră

»

fecioară. În timp ce degetele-i sunt încă ude de sângele vostru, o să se minuneze probabil de cât de frumoase sunteți – ce fel de bunătate este asta? O să fiți poate întemnițate în părul unei fete fără inimă sau la butoniera unui tânăr lipsit de curaj, sau poate soarta va face să fiți încarcerate într-un vas minuscul, silite să vă ostoiți setea numai cu apa stătută care se va termina la un moment dat, și odată cu ea și viața voastră.

Dacă v-ați născut cumva pe pământurile *mikado*-ului[1], veți da într-o zi cu ochii de un personaj temut, înarmat cu foarfeci și un fierăstrău minuscul, care-și spune „maestru al florilor". O să pretindă că este doctor și îl veți urî pe loc, pentru că orice doctor nu face decât să prelungească suferințele pacienților săi. O să vă taie, îndoaie și răsucească în toate pozițiile imposibile pe care el le consideră potrivite pentru voi. O să vă contorsioneze mușchii și o să vă disloce oasele, ca orice osteopat; o să vă ardă cu cărbuni înroșiți, ca să oprească sângerarea, și o să vă înțepe cu tot felul de sârme, ca să stimuleze circulația. O să vă supună la diete cu sare, oțet, piatră

---

[1] „Împărat" (n. tr.).

acră, ba chiar și vitriol. Când o să fiți gata să vă dați ultima suflare, o să vă ude cu apă clocotită, lăudându-se că a reușit să vă țină în viață cu două săptămâni mai mult decât ați fi trăit fără tratamentul lui. Dar n-ați fi preferat să muriți pe loc, atunci când ați fost capturate? Ce crime veți fi comis oare într-o viață anterioară, ca să meritați acest supliciu?

Risipa de flori în Vest este încă mai îngrozitoare decât felul în care sunt ele tratate de maeștrii de ikebana din Orient. Numărul de flori tăiate zilnic pentru a înfrumuseța saloanele și sălile de bal din Europa și America, pentru ca după o zi să fie aruncate, este fără îndoială imens – dacă ar fi puse cap la cap, ar forma o ghirlandă destul de lungă să înconjoare un continent. Pe lângă această nepăsare în fața vieții, păcatele maestrului de flori par nesemnificative. Măcar el face economie, își alege victimele dinainte, cu atenție, și le tratează cu cinste și după moarte. În Occident, se face paradă cu flori așa cum se face și cu bogății – totul nu durează decât o clipă. Unde ajung oare toate aceste flori, când sărbătoarea se termină? Nimic nu este mai trist decât o floare ofilită aruncată fără milă pe o gramadă de gunoi...

De ce au fost florile create așa de frumoase și în același timp așa de neajutorate? Insectele pot să înțepe; orice animal oricât de mic se va împotrivi din răsputeri când este capturat. Păsările ale căror pene sunt la mare căutare pentru a orna pălăriile doamnelor de vază pot zbura departe de urmăritorii lor; animalul din a cărui blană omul vrea să-și facă haină poate să se ascundă de vânător. Singura floare cu aripi am putea spune că este fluturele; toate celelalte, nefericitele, trebuie să-și aștepte sfârșitul țintuite pe loc. Strigătul lor de agonie nu ajunge niciodată la urechea noastră împietrită. Suntem întotdeauna cruzi cu cei care ne iubesc și ne servesc în tăcere, dar va veni și timpul când, pentru această nepăsare, vom fi părăsiți de prieteni. N-ați observat că, odată cu trecerea anilor, sunt din ce în ce mai puține flori sălbatice? Probabil înțelepții lumii lor le-au sfătuit să se ascundă, până când oamenii vor deveni mai umani. Probabil au migrat în rai.

Pe de altă parte, multe se pot spune în favoarea celui care cultivă flori. Omul cu răsadnița este mai uman decât cel cu foarfeca. Ce deliciu să vedem cât de preocupat este de cantitatea de umiditate și lumină, cum se luptă cu paraziții și înghețul, cât de îngrijorat este când bobocii întârzie să înflorească, cât de bucuros când frunzele cresc verzi și lucioase! În Orient, floricultura este veche de secole și multe povestiri și poezii din trecut vorbesc despre dragostea poeților pentru plante. În timpul dinastiilor Tang și Sung, odată cu răspândirea ceramicii, se pare că au fost create numeroase receptacule minunate – nu ghivece, ci adevărate palate pentru flori! Fiecare floare era îngrijită de un servitor anume, care îi spăla frunzele cu o perie specială, din păr moale de iepure. S-a scris și că bujorul trebuie udat de o fecioară frumoasă în haine de gală, iar prunul de iarnă de un călugăr palid și zvelt[1]. În Japonia, una dintre cele mai faimoase piese Nō, *Hachi no Ki*, scrisă în perioada Ashikaga, spune povestea unui cavaler sărman care, într-o noapte friguroasă de iarnă, a tăiat plantele care îi erau atât de dragi ca să încălzească încăperea în care găzduise un călugăr rătăcitor. Acest călugăr s-a dovedit a fi, de fapt, un Harun-al-Rashid al poveștilor japoneze, faimosul Hōjō-Tokiyori, care l-a răsplătit

---

[1] *Pingtse* de Yuenchunlang.

cu generozitate pe cavaler pentru sacrificiul său. Această piesă stoarce lacrimi spectatorilor din Tokio chiar și în zilele noastre.

Pentru păstrarea florilor de preț se luau mii de precauții. Împăratul Huensung, din dinastia Tang, atârna clopoței de aur de crengile copacilor din grădina sa ca să țină păsările departe. Tot el, într-o primăvară, s-a dus în grădină însoțit de muzicienii de la curte, pentru a le cânta florilor. O tăbliță veche, prin care un bătrân prun era protejat și pe care tradiția i-o atribuie lui Yoshitsune, eroul legendelor arturiene în variantă japoneză, se află azi într-un templu din țara noastră[1], mărturie ironică a unei epoci războinice din istoria Japoniei. Tăblița respectivă, după ce laudă frumusețea florilor de prun, zice: „Cel care taie chiar și o crenguță din copacul acesta își va pierde un deget!" O asemenea lege ar trebui să existe și astăzi împotriva celor care distrug florile și mutilează operele de artă.

Și totuși, chiar și în cazul florilor din ghivece avem motive să-i bănuim pe oameni de egoism. De

---

[1] La Sumadera, în Kōbe.

ce să luăm florile din mediul lor și să le forțăm să înflorească unde vrem noi? E la fel ca atunci când forțăm păsările să cânte pentru noi în colivii. Poate și orhideele se sufocă în căldura din serele noastre și duc dorul cerurilor tropicale sub care s-au născut...

Adevăratul iubitor de flori este cel care le vizitează la ele acasă, ca Taoyuenming, care, în fața unui gard de bambus a stat de vorbă cu crizantemele sălbatice, sau ca Linwosing, care s-a rătăcit în aburii parfumați ai florilor de prun de pe malul Lacului de Vest, în amurg. Se mai spune și că Chowmushih dormea într-o barcă, pentru ca visele lui să se amestece cu cele ale lotușilor[1]. Același spirit a făcut-o și pe împărăteasa Kōmyō, una dintre cele mai de seamă suverane din perioada Nara, să compună următoarea poezie: „Smulgându-te, te întinez, o, floare! Mai bine rămâi pe pajiște, ofrandă pentru Buddha cel al trecutului, prezentului și viitorului."

Dar să nu fim prea sentimentali. Să încercăm să dăm mai puțină importanța luxului, fiind în schimb

---

[1] Taoyuenming, Linwosing și Chowmushih au fost toți trei poeți chinezi celebri.

mai măreți. Laotse a zis: „Nici cerul, nici pământul nu cunosc mila." Kōbōdaishi, la rândul lui, a spus: „Curgere, curgere, curgere; curentul vieții nu se oprește niciodată. Trecere, trecere, trecere; moartea e aceeași pentru toți." Distrugerea e unica realitate care ne întâmpină peste tot, deasupra și dedesubt, înainte și în urmă. Schimbarea, numai ea este eternă – de ce să nu primim moartea la fel cum primim și viața? Ele sunt aversul și reversul aceleiași monede, lumina și întunericul lui Brahma. Renașterea este posibilă numai în urma dezintegrării. Ne-am închinat de-a lungul timpului în fața Morții, zeița neînduplecată a milei, dându-i diferite nume: Umbra Atotdevoratoare pe care discipolii lui Zoroastru o vedeau în foc sau purismul înghețat al sabiei-spirit, în fața căruia credincioșii Shintō se închină și în prezent. Focul mistic ne consumă slăbiciunile, sabia sacră retează lanțurile dorinței. Din cenușa noastră se naște pasărea Phoenix a speranței divine, prin libertate ajungem mai aproape de adevărata umanitate.

Dacă rupând flori putem crea noi forme care să ne ducă mai aproape de revelarea esenței vieții, de ce să n-o facem? Le cerem doar să se sacrifice, odată cu noi, pe altarul frumuseții. Ne vom căi pentru fapta noastră consacrându-ne pe veci Purității și Simplității: așa au raționat maeștrii ceaiului când au pus bazele Cultului Florilor.

Oricine este la curent cu practicile maeștrilor noștri a observat probabil venerația cu care tratează ei plantele. Nu culeg la întâmplare, ci aleg fiecare ramură și fiecare floare, pentru că ele vor fi parte din compoziția artistică pe care o văd deja cu ochii minții. Să taie mai mult decât e absolut necesar ar fi o rușine pentru ei. Totodată, culeg nu numai flori, ci și frunze, pentru că scopul lor este să redea întreaga frumusețe a vieții naturale. Și în această privință diferența față de aranjamentele florale din Occident, unde de obicei vedem în vază numai floarea, ca un cap fără trup, este evidentă.

După ce maestrul de ceai aranjează florile, le va pune în *tokonoma*, locul cel mai de cinste dintr-o cameră japoneză. Nimic altceva nu va mai fi așezat în apropiere, pentru a nu strica efectul – nici măcar o pictură, în afară de cazul în care combinația este justificată de un motiv estetic special. Aranjamentul floral va trona ca un prinț în *tokonoma* și toți oaspeții, intrând în încăpere, vor face o plecăciune în fața lui, înainte chiar de a-l saluta pe maestrul de ceai. Există desene ale capodoperelor ikebana, pentru instruirea celor interesați, și literatura de specialitate publicată este extrem de bogată. Când florile se ofilesc, maestrul le încredințează apelor unui râu sau le îngroapă; uneori se construiau chiar și monumente în cinstea lor.

Calea florilor s-a născut, se pare, odată cu calea ceaiului, în secolul al XV-lea. O legendă atribuie primul aranjament floral unor călugări budiști care se zice că au adunat florile rupte de o furtună și, în mila lor infinită pentru toate viețuitoarele pământului, le-au pus în vase cu apă. Se spune că Soami, vestitul pictor și critic de artă de la curtea lui Ashikaga Yoshimasa, a fost unul dintre primii adepți ai căii florilor. Jukō, un maestru al ceaiului, i-a fost discipol lui Soami, la fel ca și Sennō, fondatorul casei Ikenobō, la fel de faimoasă în ikebana pe cât este familia Kanō în pictură. Odată cu perfecționarea ritualului ceaiului sub îndrumarea lui Rikyū, în secolul al XVI-lea, aranjamentul floral atinge apogeul. Rikyū și succesorii lui, mult-apreciații Oda Uraku, Furuta

Oribe, Kōetsu, Kobori Enshū, Katagiri Sekishū, se luau la întrecere ca să dea naștere la noi și noi combinații. Să nu uităm însă că, pentru maeștrii de ceai, ikebana nu constituia decât o parte a ritualului artistic, nu o religie în sine. Un aranjament floral, ca orice operă de artă din camera de ceai, trebuia să se încadreze în întregul schemei de decorare. De aceea Sekishū a formulat o regulă care spunea că florile de prun nu trebuie folosite atunci când este zăpadă în grădină. Florile prea „țipătoare" nu aveau ce căuta în camera de ceai. În plus, un aranjament floral nu avea sens decât în locul pentru care fusese creat de la început, deoarece forma și proporțiile sale erau special gândite în raport cu obiectele din jurul lui.

Adorația florii numai pentru ceea ce reprezintă ea începe la mijlocul secolului al XVII-lea, odată cu apariția maeștrilor de ikebana. Tot atunci aranjamentul floral devine independent de camera de ceai și nu se supune decât regulilor impuse de dimensiunile și forma vasului utilizat. Noi concepte și modalități de execuție devin posibile și prin urmare își fac apariția o sumedenie de școli și curente. Un specialist din secolul al XIX-lea numără peste o sută de școli de ikebana. În mare, acestea se pot împărți în două ramuri principale, formalismul și naturalismul. Școlile formaliste, în frunte cu Ikenobō, aveau ca scop idealismul clasic al academicienilor din școala de pictură Kanō. Există însemnări despre aranjamentele executate de către primii maeștri ai acestei școli, care se pare că încercau să reproducă picturile cu flori ale lui Sansetsu sau Tsunenobu. Școala naturalistă, pe de altă parte, așa cum o demonstrează și numele ei, susținea că natura este singurul său model și nu făcea decât modificări minime care să contribuie la unitatea artistică. În lucrările aparținând acestei școli putem observa aceleași impulsuri care au structurat școlile de pictură Ukiyoe și Shijō.

Ar fi probabil interesant să dăm mai multe detalii despre legile de compoziție formulate de diverși maeștri ai acestei perioade, care ilustrează teoriile fundamentale din perioada Tokugawa. De exemplu, ei se refereau adesea la Principiul conducător (Cerul), Principiul subordonat (Pământul) și Principiul conciliant (Omul), și orice aranjament floral care nu le incorpora pe toate trei era considerat steril și lipsit de viață. Tot ei au insistat asupra importanței de a trata o floare sub trei aspecte, cel formal, semiformal și informal. Primul reda florile în costum de gală, într-o sală de dans, al doilea, în eleganța relaxată a rochiei de după-amiază, iar al treilea, în neglijeul fermecător din budoar.

Preferința mea se îndreaptă către aranjamentul floral al maeștrilor de ceai, nu către cel al maeștrilor de ikebana, deoarece primul pare să reprezinte cel mai bine arta folosită la locul potrivit, în directă legătură cu viața. Aș numi această școală a naturalului, spre deosebire de naturalismul sau formalismul din ikebana. Maestrul de ceai consideră că rolul său se încheie după alegerea florilor și le lasă libere să-și spună propria poveste. Iarna, intrând într-o încăpere de ceai, vei vedea probabil un mănunchi de flori de cireș alături de o camelie abia îmbobocită – este ecoul iernii pe sfârșite, cununat cu profeția primăverii mult-așteptate. Sau, dacă vizitezi camera de ceai într-o după-amiază înăbușitoare de vară, vei descoperi, poate, în întunecimea răcoroasă din *tokonoma*, un crin înrourat, zâmbind atotștiutor din vaza atârnată pe perete, în fața nimicniciei vieții.

O compoziție numai din flori este interesantă, dar devine cu atât mai atrăgătoare în combinație cu picturi sau sculpturi. Odată, Sekishū a pus câteva plante de apă într-un vas plat, ca să sugereze vegetația lacurilor și a mlaștinilor, și deasupra lui a agățat un tablou al lui Soami, reprezentând rațe sălbatice în zbor. Shōha, un alt maestru al ceaiului, a combinat un sul de caligrafie pe care era scrisă o poezie despre frumusețea singurătății de la malul mării cu un suport pentru bețișoare parfumate în formă de colibă pescărească și cu câteva flori sălbatice care cresc pe plajă. Unul dintre oaspeții săi a scris mai apoi că toată compoziția emana aerul trist al toamnei pe sfârșite.

Poveștile despre flori sunt fără număr. Să vă mai spun doar una. În secolul al XVI-lea, zoreaua era încă o plantă rară în Japonia. Rikyū plantase zorele în toată grădina sa, și le îngrijea cu extrem de multă grijă. Faima florilor sale a ajuns până la urechea *taikō*-ului, care și-a exprimat dorința de a le vedea, și Rikyū l-a invitat să-i servească ceaiul de dimineață în casa sa. În ziua stabilită, *taikō* a venit, dar în grădină, oriunde și-ar fi îndreptat privirea, nu mai era urmă de zorea.

Pământul fusese netezit și acoperit cu nisip și pietriș fin. Înfuriat, suveranul a intrat în camera de ceai, dar și-a înghițit pe loc furia – în *tokonoma*, într-un superb vas de bronz, mărturie a îndemânării meșteșugarilor din dinastia Sung, trona o singură zorea, regina grădinii!

În astfel de situații putem să ne convingem de întreaga însemnătate a sacrificiului florilor. Probabil chiar și florile apreciază această însemnătate, pentru că ele nu sunt lașe, ca oamenii. Gloria unor flori stă în moartea lor – de pildă, florile de cireș japonez, la apogeul frumuseții lor, tocmai în momentul în care se lasă desprinse de pe crengi și purtate de vânt. Oricine a stat vreodată în mijlocul avalanșei parfumate de la Yoshino sau Arashiyama știe asta. Petalele de cireș plutesc pentru o clipă în aer, ca niște nori de nestemate, dansând deasupra izvoarelor de cristal; apoi, lăsându-se purtate de apele care se rostogolesc cu hohot la vale, par să spună: „Adio, primăvară! Noi ne-am început călătoria spre eternitate!"

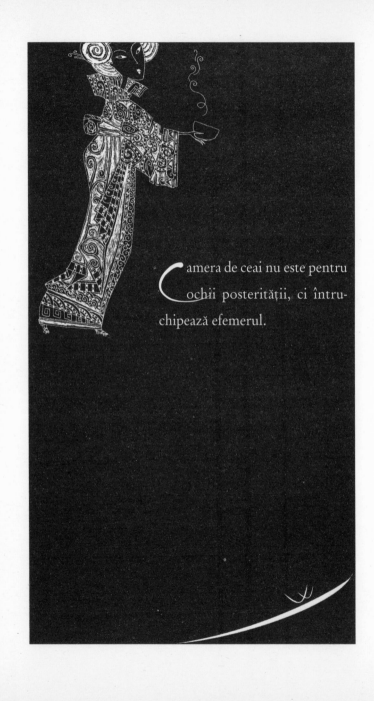

Camera de ceai nu este pentru ochii posterității, ci întruchipează efemerul.

MAEȘTRII DE CEAI

Î n religie, viitorul este în urma noastră. În artă, prezentul este etern. Maeștrii de ceai susțineau că numai cei care se lasă influențați direct de artă știu într-adevăr să o aprecieze. De aceea, ei au încercat să-și organizeze viața de zi cu zi pe baza principiilor de rafinament ale ceremoniei ceaiului. Conform teoriilor lor, trebuia să fii senin în orice situație și să participi la conversație astfel încât să nu strici în nici un fel armonia; croiala și culoarea veșmintelor, ținuta, modul de a merge – toate puteau fi considerate expresii artistice ale propriei personalități. Prin urmare, cel care nu reușea să se facă pe sine frumos nu avea dreptul să vorbească despre frumusețe. Astfel, se poate spune că maestrul de ceai încerca să fie mai mult decât un artist – încerca să fie arta însăși. Aceasta este estetica zen. Frumusețea există peste tot, dacă ne străduim să o descoperim. Rikyū cita adesea o poezie veche, care spune: „Celor care duc dorul florilor aș vrea să le arăt primăvara năvalnică ascunsă în bobocii ce se trudesc să înflorească pe dealurile încă acoperite de zăpadă."

Contribuțiile maeștrilor de ceai în domeniul artei au fost numeroase și variate. Ei au fost cei care au revoluționat arhitectura clasică și decorațiunile interioare, punând bazele unui nou stil, despre care am vorbit pe larg în capitolul despre camera de ceai. Acest stil a influențat până și palatele și mănăstirile din secolele al XVI-lea și al XVII-lea. Kobori-Enshū, cu numeroasele sale talente, a lăsat dovezi notabile ale geniului său, precum vila imperială de la Katsura, castelele de la Nagoya și Nijō sau mănăstirea Kohōan. Toate grădinile faimoase din Japonia au fost concepute de către maeștri de ceai. Ceramica noastră nu ar fi atins niciodată gradul de rafinament de azi dacă maeștrii de ceai nu ar fi contribuit cu ideile lor

novatoare, deoarece fabricarea ustensilelor pentru ce-
remonia ceaiului necesita extrem de multă ingeniozi-
tate din partea ceramiștilor. Cele șapte cuptoare
pentru ceramică aparținând lui Enshū le sunt bine cu-
noscute tuturor celor care vor să învețe arta olăritului.
Multe din fabricile noastre de țesături poartă numele
maeștrilor de ceai care au conceput modelele și culo-
rile folosite. Ar fi imposibil să găsim un domeniu al
artei în care maeștrii de ceai să nu-și fi pus amprenta
geniului lor. Să menționez influența lor în pictură sau
în privința obiectelor lăcuite este deja de prisos. Una
dintre cele mai mari școli de pictură îl are ca fondator
pe Honnami Kōetsu, faimos atât ca olar, dar și ca
mare creator de obiecte lăcuite. În comparație cu ope-
rele lui, superbele creații ale nepoților săi Kōho, Kōrin
și Kenzan aproape că pălesc. Întreaga școală Kōrin, așa
cum este ea de obicei denumită, reprezintă o expresie
a artei ceaiului. În tușele viguroase ale acestei școli
întrezărim fără îndoială vitalitatea naturii înseși.

Influența pe care au exercitat-o maeștrii de ceai în
artă este imensă, dar cea pe care au avut-o ei asupra
modului nostru de a trăi a fost și mai mare. Prezența
maeștrilor se face simțită atât în obiceiurile societății

înalte, cât şi în viaţa de zi cu zi a oamenilor de rând. Vesela noastră, dar şi modul în care servim mâncarea stau sub influenţa lor. Datorită acestora, am învăţat să ne placă hainele în culori sobre; ei ne-au arătat cum trebuie să ne purtăm cu florile; ei au scos la iveală preferinţa noastră naturală pentru simplitate şi tot ei ne-au învăţat frumuseţea smereniei. Datorită învăţăturilor lor, ceaiul a pătruns în viaţa noastră a tuturor.

Aceia dintre noi care încă nu ştiu cum să-şi rânduiască propria existenţă în această mare tumultuoasă, plină de griji fără rost, pe care o numim viaţă, sunt adesea cufundaţi în suferinţă, străduindu-se să pară mulţumiţi şi veseli. Încearcă în van să-şi păstreze echilibrul moral şi în fiecare nor care se iveşte la orizont văd ameninţarea furtunii. Şi totuşi, eterna rostogolire a valurilor zbuciumate poate fi şi frumoasă – de ce nu ne-am pătrunde de spiritul ei, călărind uraganul, precum Liehtse?

Doar cel care a trăit întru frumuseţe poate muri frumos. Ultimele clipe ale maeştrilor de ceai au fost toate pline de rafinament şi graţie, aşa cum au fost şi vieţile lor. Deoarece s-au străduit mereu să fie în armonie cu ritmul Universului, intrarea în necunoscut nu i-a găsit nepregătiți. „Ultimul ceai al lui Rikyū" va rămâne în istorie ca o culme a măreției tragice.

 Prietenia dintre Rikyū și *taikō* Hideyoshi a fost lungă, iar respectul pe care marele luptător i l-a arătat maestrului de ceai, imens. Dar prietenia unui despot este întotdeauna o onoare plină de primejdii. Perioada în care au trăit cei doi a fost una a trădărilor, în care nu puteai avea încredere nici în propriul frate. Rikyū nu era un curtean servil și de aceea de multe ori și-a permis să-l contrazică pe patronul său. Profitând de răceala care se strecurase între cei doi la un moment dat, dușmanii lui Rikyū l-au acuzat că e implicat într-un complot cu scopul de a-l otrăvi pe Hideyoshi – poțiunea fatală, au șoptit intriganții, ar fi urmat să fie turnată în cupa de ceai verde oferită suveranului. Pentru Hideyoshi, simpla suspiciune a fost suficientă ca să ordone execuția lui Rikyū, care nu a mai putut face nimic pentru a schimba hotărârea despotului mânios. Un singur privilegiu i s-a mai acordat condamnatului – onoarea de a se sinucide.

În ziua stabilită, Rikyū i-a invitat pe discipolii săi să bea împreună o ultimă cupă de ceai. Plini de tristețe, oaspeții s-au adunat în fața porții. De-a lungul cărării, copacii din grădină păreau să tremure, iar în foşnetul frunzelor păreau să se audă şoaptele fantomelor fără adăpost. Felinarele de piatră stăteau nemişcate, precum santinelele solemne de la porţile iadului. Din cameră s-a răspândit un miros de beţişoare parfumate rare – semnalul care i-a invitat pe oaspeţi înăuntru. Unul câte unul, ei au pătruns în încăpere şi şi-au ocupat locurile. În *tokonoma* se afla un *kakemono*[1], pe care erau înscrise, în caligrafia superbă a unui călugăr din vechime, cuvinte mărturisind despre natura trecătoare a tuturor lucrurilor lumeşti. Ceainicul, cântând deasupra focului, părea să imite vocea unei cicade care îşi ia adio de la vara pe sfârşite. Gazda a intrat în încăpere şi oaspeţii au fost serviţi pe rând cu ceai. Toţi şi-au golit în tăcere cupele, Rikyū cel din urmă. După obicei, oaspetele principal a cerut permisiunea să examineze ustensilele pentru ceai. Rikyū a aşezat în faţa lor diversele obiecte unul câte unul, începând cu *kakemono*-ul din *tokonoma*. După ce oaspeţii au admirat obiectele, Rikyū le-a oferit fiecăruia dintre ei câte unul, ca suvenir – mai puţin

---

[1] Sul pictat din pânză sau hârtie, care se atârnă pe perete (n. tr.).

cupa din care băuse el însuși. „Această cupă, pângărită de buzele ghinionului, nu va mai fi a nimănui de-acum încolo", a spus el și a spart cupa în bucăți.

Ceremonia s-a terminat; oaspeții, cu ochii în lacrimi, și-au luat adio de la gazdă și au părăsit în tăcere încăperea. Unul singur, cel mai apropiat, a fost rugat să rămână, pentru a fi martor la sfârșitul maestrului. Rikyū a dezbrăcat veșmintele purtate la ceremonie și le-a așezat pe podea, împăturindu-le cu grijă și scoțând astfel la iveală chimonoul imaculat al morții, până atunci ascuns. S-a uitat prelung la lama strălucitoare a pumnalului, adresându-i-se în vers astfel:

„Sabie a eternității,
Care ți-ai croit calea
Prin Buddha
Și prin Dharma deopotrivă,
Fii binevenită!"

Cu aceste cuvinte, zâmbind, Rikyū a trecut în neființă.

lânde flori, lacrimi ale stelelor, stând în grădină și ascultând poveștile despre rouă și raze de soare ale albinelor, puteți voi oare să vă imaginați soarta crudă care vă așteaptă? Visați-vă visele cât mai aveți timp, legănându-vă în adierea răcoroasă de vară, pentru că mâine o mână nemiloasă vă va smulge una câte una, purtându-vă apoi departe de pașnicul vostru sălaș.

Cuprins

9

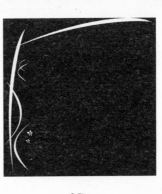

13

PREFAȚĂ

CUPA UMANITĂȚII

Ceaiul, înnobilat, se transformă în artă a ceaiului, religie a esteticului, adorație a frumuseții cotidiene – Calea ceaiului se răspândește atât printre nobili, cât și printre oamenii de rând – Lipsa de înțelegere reciprocă dintre Lumea Veche și Lumea Nouă – Cultul ceaiului în Vest – Primele menționări ale ceaiului în documente europene – Versiunea taoistă despre înfruntarea dintre Spirit și Materie – Lupta pentru putere și bogăție din epoca modernă

ŞCOLILE DE CEAI

Cele trei stadii din evoluţia ceaiului – Ceaiul fiert, ceaiul bătut spumă şi ceaiul infuzie, reprezentând dinastiile Tang, Sung şi Ming – Luwuh, primul apostol al ceaiului – Idealurile cultului ceaiului în cele trei dinastii – Pentru chinezii din zilele noastre, ceaiul este doar o băutură delicioasă, nu un ideal – În Japonia, ceaiul este arta de a trăi, ridicată la rangul de religie

TAOISMUL ŞI BUDISMUL ZEN

Legătura dintre calea ceaiului şi zen – taoismul, la fel ca succesorul său, budismul zen, sunt expresia tendinţelor individualiste caracteristice Chinei de Sud – Taoismul acceptă lumescul aşa cum este, încercând să descopere frumuseţea chiar şi în viaţa plină de griji şi suferinţe – Zenul duce mai departe învăţăturile taoiste – Autorealizarea adevărată poate fi atinsă prin meditaţie sacră – Zenul, ca şi taoismul, pune accentul pe Relativitate – Idealurile căii ceaiului au la origine credinţa zen în măreţia micilor incidente din viaţa de zi cu zi – Taoismul a enunţat idealurile estetice, zenul le-a pus în practică

CAMERA DE CEAI

Camera de ceai nu pretinde să fie nimic mai mult decât o colibă țărănească – Simplitatea și purismul camerei de ceai – Simbolismul camerei de ceai – Decorațiunile interioare – Camera de ceai, un sanctuar în care putem uita de grijile zilnice

APRECIEREA ARTEI

Comuniunea dintre suflete, necesară în procesul de apreciere a artei – Înțelegerea secretă dintre artist și privitor – Importanța puterii de sugestie – Arta este valoroasă doar în măsura în care reușește să ni se adreseze direct – Mare parte din entuziasmul prezent pentru artă nu este susținut de sentimente adevărate – Confuzia dintre artă și arheologie – Distrugând frumosul din viață, distrugem și arta

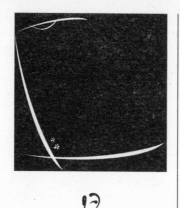

FLORILE

Florile, prietenii noștri – Maestrul florilor – Risipa de flori din Occident – Floricultura ca artă în Orient – Maeștrii de ceai și aranjamentul floral – Florile, apreciate pentru frumusețea lor intrinsecă – Maeștrii de ikebana – formalismul și naturalismul, ramurile principale ale ikebana

MAEȘTRII DE CEAI

Numai cei care lasă arta să le influențeze viața direct dau dovadă că o apreciază cu adevărat – Contribuția maeștrilor de ceai la dezvoltarea artelor – Influența lor asupra modului nostru de a trăi – Ultimul ceai al lui Rikyū